N

TSCHECHISCHE REPUBLIK

0 10 20 km

Freyung

Passau

Bad Leonfelden

Donau

ch

Schärding

Waldkirchen

Aschau

Gallneukirchen

nn

St. Martin

Neumarkt

Linz

Ried

hen

Wels

Traun

fen

Frankenburg

Steyr

E R R E I C H

Vöckla

Vöcklabruck

Steyr

Enns

Attersee

Gmunden

Mondsee

Altmünster

Traun-see

Micheldorf

Attersee

Ebensee

en

St. Wolfgang

fgang-see

Traun

Strobl

Bad Goisern

Spital

Peter Pfarl

Der **Wolfgangweg**

von **Regensburg** über **Altötting** nach
St. Wolfgang am **Wolfgangsee**

Tyrolia-Verlag · Innsbruck-Wien

2013

Umschlaggestaltung: Tyrolia-Verlag unter Verwendung eines Bildes des Tourismusverbands Wolfgangsee
Layout und digitale Gestaltung: GrafikStudio HM, Hall in Tirol
Bildnachweis: Alle Bilder stammen vom Autor mit Ausnahme von: S. 8, 42, 56, 62, 63, 65, 66, 71, 79, 84, 86, 89, 90, 91, 94, 98, 102 (Wikipedia), S. 24 (Knut Jakubetz), S. 25 (Tourismusverband Wolfgangsee), S. 108 (istockphoto.com – Claudia Dewald), S. 110 (istockphoto.com – Robert Hoetink).
Kartografie: Frühwald Schlaich, Geislingen (D)
Lithografie: Artilitho, Trento (I)
Druck und Bindung: Friedrich Pustet, Regensburg (D)

ISBN Tyrolia-Verlag: 978-3-7022-3257-3
E-Mail: buchverlag@tyrolia.at
Internet: www.tyrolia-verlag.at

ISBN Verlag Friedrich Pustet: 978-3-7917-2481-2
E-Mail: verlag@pustet.de
Internet: www.pustet.de

Inhaltsverzeichnis

Auf den Spuren des hl. Wolfgang

Immer mehr Menschen entdecken das Pilgern für sich. Österreich ist ohne jeden Zweifel ein Pilgerland im Herzen Europas, das Einheimische und Gäste gleichzeitig zu einem besonderen Freizeiterlebnis einlädt.

Österreichs Pilgerlandschaft ist geprägt durch die drei alten und neuen Pilgerziele Mariazell, Gurk und St. Wolfgang und durch den Jakobsweg, der von Budapest kommend über Wien und Innsbruck (Jakobsdom) weiter nach Santiago führt. St. Wolfgang kann an eine jahrhundertelange Wallfahrts- und Pilgertradition anknüpfen und ist heute erfolgreich darin, den Menschen seine zeitgemäße Botschaft zu übermitteln. Der Wolfgangweg ist ein wichtiger Bestandteil des österreichisch-bayerischen Pilgernetzes. Ich freue mich über dieses Buch von Peter Pfarl, mit dem mich eine jahrelange Zusammenarbeit im Bereich der Pilgerwege verbindet.

Durch das Pilgern kann man eine Antwort finden auf die Fragen unserer Zeit, die Frage nach dem Leben, der Herkunft, dem Standort und dem Ziel. Es hilft, dass wir wieder neu „geerdet & gehimmelt" werden. Festen Boden unter den Füßen zu spüren (sich erden), offen zu sein für die vielen Dinge, die uns geschenkt werden (vom Himmel kommend). Mehr zum Thema Pilgern und allen Pilgerwegen Österreichs finden Sie unter www.pilgerwege.at. Lassen Sie sich von diesem Buch von Peter Pfarl inspirieren und folgen Sie den Spuren des hl. Wolfgangs.

Anton Wintersteller ist Pensionist, Pilgerbegleiter und Projektleiter von „Pilgern in Österreich".

Vorwort des Autors

Regensburg und der Wolfgangsee, das sind die beiden Pole in der Verehrung des heiligen Wolfgang. Regensburg ist die Stadt, wo er als Bischof wirkte, als eine reale, historische Person, die durch Tatkraft und durch soziale Gesinnung die Zeitgenossen und die Nachwelt beeindruckte, sodass schon wenige Jahrzehnte nach dem Tod die Heiligsprechung erfolgte. Der Wolfgangsee ist die Gegend, in der er uns als sagenhafter Einsiedler begegnet, in der er mit dem Teufel kämpfte und in den Felsen seine Spuren hinterließ.

Mitunter ist die Sage wirkkräftiger als die Geschichte. Das zeigt sich auch bei Wolfgang. Der vorbildliche Bischof, der tüchtige Organisator, der mutige Reformer, alle diese Aspekte wurden von dem Eremiten am wilden Falkenstein und dem Kirchenbauer am Wolfgangsee überlagert. Nicht zum Grab in der würdevollen Krypta von St. Emmeram zogen die Pilger, sondern zu den romantischen Gedenkstätten in der Schlucht und am See.

So ist der Weg von Regensburg nach St. Wolfgang ein Weg von der Realität in das Reich der Legende. Bei weitem nicht jeder, der ihn begeht oder befährt, wird das unmittelbar empfinden, auch wenn er bewusst auf den Spuren der Pilger durch das niederbayerische Land wandert oder entlang der Donau radelt. Aber eigentlich sollte jeder, der sich auf diesen Weg macht, eintauchen in eine Welt, die außerhalb der Realität seines All-

Regensburg, der Bischofssitz des heiligen Wolfgang, ist der Ausgangspunkt der hier vorgestellten Pilgerwege.

tags liegt. Einerseits ist es wohl wichtig, dass sich der Pilger immer wieder fragt, warum er sich das antut, andererseits sollte er das Gefühl erleben, frei zu sein von den Sorgen und Plagen seines Lebens, er sollte die Natur und die Umwelt in ihrer ganzen Fülle einfangen und er sollte erfahren, wie wenig der Mensch braucht, um zu sich selbst zu finden. Hinzu kommt das Wissen, ein Ziel vor sich zu haben, ein Ziel, das im Lauf der Jahrhunderte Tausende von Pilgern lockte, wenn sie den Wolfgangweg gingen. Das waren und sind Erlebnisse, die auch nach langer Wanderung und auch nach vielen Mühseligkeiten nicht enttäuschen, sondern beglücken. So gesehen wird der Weg tatsächlich ein Übergang von der Realität in eine höhere Wirklichkeit.

Wir wissen nicht, wo genau die Pilgerscharen früher gezogen sind, es gibt keinen authentischen Wolfgangweg. Wir können nur auf Grund von Gedenkstätten, Statuen in den Kirchen und sagenhaften Überlieferungen dort und da annehmen, dass wir den Pilgern auf der Spur sind, besonders im letzten Stück, dem Mattigtal und dem Mondseeland. Vielfach verlaufen die Wege heute anders als früher, weitgehend sind sie überlagert von Fernstraßen und Autobahnen. Wir wollten einen Weg vorschlagen, der, so weit wie möglich, abseits von diesen Hauptverkehrsrouten durch die Natur führt. Pionier bei dieser Wegfindung war Maximilian Bogner aus Rosenheim, der schon mehrere Pilgerstrecken beschrieben hat, unter anderem den Jakobsweg durch Ostbayern. Wir danken ihm, dass wir uns zum großen Teil an seine Route halten durften.
Wir danken aber auch den vielen anderen, die uns unterstützt haben, Toni Wintersteller, dem Spezialisten für Wallfahrtswege, dem Kulturreferenten der Stadt Regensburg, Herrn Klemens Unger, dem Tourismusdirektor der Stadt Altötting, Herrn Herbert Bauer, und nicht zuletzt dem Kurdirektor von St. Wolfgang, Herrn Hans Wieser, der, von der Idee des Radpilgerns begeistert, die Strecke abgefahren ist und uns viel Hilfe zukommen hat lassen.

Sowohl der Fußweg als auch der Radweg waren ein Erlebnis. Wir hoffen, dass es alle, die es uns gleichtun, genauso fühlen und dass sie sich dem heiligen Wolfgang annähern können, nicht nur als einem Vorbild, sondern auch als einem immer noch präsenten himmlischen Helfer.

Das Leben des heiligen Wolfgang

Abstammung und Jugendjahre

Der heilige Wolfgang ist heute fast ein bayerischer Nationalheiliger, wurde jedoch in Schwaben geboren. Sein maßgeblicher Biograf, ein Mönch des Regensburger Klosters St. Emmeram namens Otloh, gibt nicht an, wo und wann er auf die Welt kam, er vermerkt nur die für die damalige Zeit bemerkenswerte Tatsache, dass die Eltern des späteren Bischofs gar keine Adeligen waren, weder richtig arm noch sehr reich. Als Geburtsort nennen die weit später entstandenen Annalen des Klosters Zwiefalten Pfullingen am Fuß der Schwäbischen Alb. Dieser Ort bildete im 10. Jahrhundert, also zu der Zeit, als Wolfgang geboren wurde, den Mittelpunkt eines zentralen und wichtigen Gaues des Schwabenlandes. Kein Wunder, dass später, als man sich einen Heiligen kaum anders denn als adelige Person vorstellen konnte, die Meinung auftauchte, Wolfgangs Eltern hätten dort als Grafen geherrscht. Der Vater sei Hermann I. von Schwaben gewesen, den Kaiser Otto I. als Herzog im ganzen Land einsetzte. Das stand nun aber ganz im Gegensatz zur Aussage des Fast-Zeitzeugen Otloh von den mäßig begüterten Eltern.

Auch spätere Historiker, namentlich solche aus dem Pfullinger Bereich, schlossen sich der Meinung von der vornehmen Abkunft Wolfgangs an. Sie stützten sich in erster Linie auf das Argument, er wäre nicht in Reichenau zur Schule zugelassen worden, wäre er nicht hochadeligen Geblüts gewesen, denn das Kloster sei damals nur den Vornehmsten der Vornehmen vorbehalten gewesen. Es erscheint aber zweifelhaft, ob diese Exklusivität, welche die berühmte Abtei

Bei der Geburt soll die Mutter des heiligen Wolfgang einen hell leuchtenden Stern erblickt haben (Gemälde in St. Wolfgang, 19. Jahrhundert).

später regelrecht ruinierte, bereits im 10. Jahrhundert so verpflichtend ausgebildet war, dass sie sogar für die Schüler des „äußeren Bereiches“ galt, also für jene, die nicht die geistliche Laufbahn einschlagen wollten.

Wolfgang wird von seinen Eltern in die Klosterschule auf die Reichenau gebracht (Gemälde in St. Wolfgang, 19. Jahrhundert).

Wolfgang gehörte zu diesem „äußeren Bereich“. Darüber, dass er ein beliebter und guter Schüler war, ist bei einem mittelalterlichen Heiligen kein Wort zu verlieren. Wohl aber muss aus der Zeit seiner Ausbildung erwähnt werden, dass er sich einem hochadeligen Kameraden anschloss, der erstklassige Verbindungen zu den maßgeblichen Persönlichkeiten des Reiches hatte: Heinrich, Graf von Babenberg. Als dieser plante, die Reichenau zu verlassen, um in Würzburg weiterzustudieren – sein Bruder war dort Bischof –, wollte er den Freund mitnehmen, obwohl sich dieser sträubte. Heinrich übernahm aber alle Spesen der Übersiedlung. Dies ist wohl auch „ein Hinweis darauf, dass Wolfgang nur bescheidene Mittel zur Verfügung standen“ (Zinnhobler).

In Würzburg entwickelte sich Wolfgang zum Star der Domschule. Seine Intelligenz übertraf sogar jene des berühmten Lehrers Stephan von Novara, sodass dieser, eifersüchtig wie er war, bald den Ausschluss des unbequemen Musterschülers durchsetzte.
Über die Zeit unmittelbar nach dem Hinauswurf wissen wir nicht Bescheid, doch eröffnete sich für Wolfgang bald eine unerwartete Perspektive: Heinrich von Babenberg wurde zum Erzbischof von Trier ernannt und wünschte unbedingt, dass ihn sein Freund begleiten möge. Dieser zierte sich zwar wieder, weil er damals bereits zum Mönchtum tendierte, übernahm dann aber doch die dortige Domschule und wurde später Dekan des Domklerus. In dieser Funktion achtete er in aller Strenge auf Disziplin und bestand darauf, dass die Geistlichen in einer klosterähnlichen Gemeinschaft lebten.

Wolfgang wird Dekan des Domklerus von Trier (Gemälde in St. Wolfgang, 19. Jahrhundert).

Bereits nach acht Jahren starb Erzbischof Heinrich auf einem Feldzug des Heiligen Römischen Reiches in Italien. Vor seinem Tod hatte er mit dem Kaiser über den Freund gesprochen, seine Fähigkeiten geschildert und gebeten, ihn vor Feinden zu schützen. Auf Grund dieser Empfehlung kam Wolfgang zum Kanzler des Reiches, Erzbischof Bruno von Köln, dem höchst einflussreichen Bruder des Kaisers. Er war dort vermutlich als eine Art Sekretär in der Reichskanzlei tätig, bis er in einem spontanen Entschluss seine lang gehegte Absicht realisierte, Mönch zu werden. Dabei fiel seine Wahl nicht auf eine der reichen und angesehenen Abteien, sondern auf das eher ärmliche Einsiedeln, das erst vor kurzem in einem weltentlegenen Gebiet, dem „Finsteren Wald", gegründet worden war.

Die Klosterreform von Gorze

Alles, was bisher erzählt wurde, hält sich an die Biografie des Otloh, die ungefähr 50 Jahre nach dem Tod des heiligen Wolfgang niedergeschrieben wurde. Wie alle hagiografischen Schriften ist sie tendenziös abgefasst und verfolgt in erster Linie die Absicht, ein Loblied auf ihren Helden zu singen und für ihn Reklame zu machen. Was sich tatsächlich zugetragen hat, kann man erst mit einem zweiten Blick erfassen, oder besser gesagt: vermuten.

Das 10. Jahrhundert war nördlich der Alpen eine Zeit des religiösen Aufbruches. Während es in Rom drunter und drüber ging und vom Stadtadel äußerst zweifelhafte Figuren zu Päpsten gemacht wurden, nahm in Deutschland und Frankreich das Interesse an religiösen Dingen zu. Wie in solchen Zeiten so oft, stellte man plötzlich fest, dass die kirchlichen Institutionen eigentlich viel aktiver sein müssten. Matt erschienen besonders die Klöster, die als Versorgungsanstalten erachtet wurden, in denen der Adel seine nachgeborenen Kinder unterbringen konnte. Dass es um die Disziplin unter diesen Umständen in den Klöstern nicht gut bestellt war, liegt auf der Hand, und so bildete sich, ausgehend vom Kloster Gorze in Lothringen, eine Reformbewegung, die es sich zur Aufgabe machte, das Ordensleben wieder in Schwung zu bringen und vom Einfluss des Adels zu befreien. Auch für Nichtadelige sollten die hohen kirchlichen Stellen offenstehen, die Klöster sollten autonom sein und ihre primäre Aufgabe im Gottesdienst sehen. Die Mönche sollten sich einfach kleiden und asketisch leben. Im Unterschied zu späteren Reformen stand jene von Gorze nicht im Gegensatz zu Kaiser und Reich, vielmehr betrachteten die Herrscher aus dem Haus der Ottonen funktionierende Kirchen und Klöster als die wichtigsten Stützen ihrer Herrschaft.

Wie ein roter Faden ziehen sich die Bestrebungen der Gorzer Reform durch das Leben Wolfgangs. Die Freundschaft mit Heinrich von Babenberg dürfte ihm diese Gedanken nahegebracht haben, denn der war ja dem Kaiserhaus verwandtschaftlich verbunden. In Trier beauftragte er seinen Kameraden mit der sittlichen Erneuerung des Domklerus. Dies geschah, indem eine ordensähnliche Organisationsform geschaffen wurde.

Anschließend landete Wolfgang bei einem der Hauptvertreter der Reform, beim Reichskanzler und Erzbischof Bruno. Es ist bezeichnend, dass zuvor der sterbende Heinrich den Kaiser gebeten hatte, Wolfgang vor Feinden zu schützen, denn die neuen Ideen waren ja keineswegs unumstritten und wurden sicherlich von Leuten bekämpft, denen der bisherige Zustand Vorteile geboten hatte. Vielleicht ist es diesen Gegnern der Reform sogar gelungen, den einflussreichen Sekretär vom Kölner Hof wegzubringen. Interessanterweise suchte sich dieser für seinen Klostereintritt das ferne und dürftig ausgestattete Einsiedeln aus, denn dort hatte man sich ganz der Reform verschrieben.

Der Weg nach Regensburg

In Einsiedeln nahm das neue Mitglied der Gemeinschaft eine geachtete Stellung ein. Bischof Ulrich von Augsburg wurde auf ihn aufmerksam, als er das Kloster besuchte, und weihte ihn zum Priester.

Nun folgte eine Episode im Leben Wolfgangs, die eher aus dem Rahmen fällt: So wurde er zu einer Mission bei den heidnischen Ungarn abkommandiert. Kurz zuvor, im Jahre 955,

Der heilige Ulrich weiht Wolfgang zum Priester (Gemälde in St. Wolfgang, 19. Jahrhundert).

waren diese wilden Barbaren in der Schlacht auf dem Lechfeld bei Augsburg nachhaltig geschlagen worden, nachdem sie jahrzehntelang mit ihren Raubzügen Angst und Schrecken verbreitet hatten. Jetzt hatten sie sich im pannonischen Tiefland niedergelassen und gaben, wie es schien, Ruhe. Der Zeitpunkt schien gekommen, ihnen das Christentum näherzubringen.

Für diese Mission wurde nun der Mönch Wolfgang gewählt, der mit einigen Begleitern nach Osten auszog. Leider erwies sich das Unternehmen als Debakel, die Glaubensboten richteten nichts aus. Interessant ist in diesem Zusammenhang, dass angeblich ein Andenken an die gescheiterte Aktion erhalten geblieben ist. Über dem Markt Kirchberg am Wechsel, im östlichen Niederösterreich, also im alten Grenzbereich gegen Ungarn, erhebt sich ein weiträumiger gotischer Bau, die Wolfgangkirche. Es heißt, der Heilige habe sie eigenhändig erbaut, und zwar unter Mitwirkung des Teufels. Es wird aber auch berichtet, der Missionar habe die Einwohner verschiedene Fertigkeiten, z. B. den Ackerbau, gelehrt. Ob da tatsächlich eine Erinnerung an die Anwesenheit Wolfgangs fortlebt, scheint freilich recht zweifelhaft, denn die erste Nachricht über die Wolfgangkirche meldet, sie sei gegen Ende des 14. Jahrhunderts von einem dort ansässigen Adeligen gestiftet worden.

Laut Otloh erfuhr der mächtige Passauer Bischof Pilgrim von den vergeblichen Mühen der Mönche, worauf er sie in seine Stadt berief. Als er Wolfgang persönlich kennenlernte, war er von ihm sehr beeindruckt. Da gerade der Bischof von Regensburg gestorben war, schlug er ihn dem Kaiser als dessen Nachfolger vor. Wie das wirklich ablief, lässt sich nicht mehr ermitteln. Vermutlich spielte die Tatsache eine Rolle, dass Wolfgang als Vertreter der Kirchenreform nicht unbekannt war. Über Stimmen, die meinten, man könne doch nicht einen so armen

und unbekannten Mann zum Bischof machen, nachdem sich schon Männer von höchstem Adel beworben hätten, setzte sich Pilgrim hinweg und konnte tatsächlich die Ernennung Wolfgangs durchsetzen.
Auch als er in Regensburg einzog, mokierte sich ein Ritter über die ärmliche Erscheinung Wolfgangs. Wie Otloh berichtet, wurde er sogleich lahm, bis ihn der neue Bischof durch ein Wunder heilte.

Wolfgang als Bischof von Regensburg

Auch in seiner neuen Würde blieb Wolfgang den Ideen der Reform treu. Es passte nicht in sein Konzept, dass die reiche und angesehene Abtei St. Emmeram dem bischöflichen Stuhl unterstellt war, also keinen Abt hatte und wenig Eigenleben entwickeln konnte. So fasste er den Entschluss, dem Kloster Selbständigkeit zu verleihen, es vom Bischofsgut zu trennen und ihm einen eigenen Abt zu geben, wofür er einen alten Freund aus Trierer Zeiten bestimmte: Ramwold, einen eifrigen Anhänger der Neuerung. Sein Domkapitel schlug die Hände zusammen ob dieser unvernünftig scheinenden Schmälerung des bischöflichen Gutes und der Einnahmen und bezeichnete es als eine Dummheit. Der Oberhirte jedoch stand zu seinem Entschluss, den er unter anderem damit rechtfertigte, es wäre unbillig, wenn man den Mönchen, die dort tätig sind, den größten Teil ihrer Einkünfte wegnehme und sie dorthin gebe, wo sie nicht hingehörten. Ein ähnlicher Schritt, der vielleicht noch mehr Widerstände bewirkte, war die Abtrennung des Landes Böhmen vom Bistum Regensburg und die Gründung einer eigenen Diözese Prag, denn damit ging

Bischof Pilgrim von Passau und Kaiser Otto I. setzen Wolfgang zum Bischof von Regensburg ein (Gemälde in St. Wolfgang, 19. Jahrhundert).

eine starke Beeinträchtigung des Bischofsgutes einher. Auch hier blieb er unbeirrt und nahm die Einschränkungen in Kauf, denn beide Maßnahmen führten erkennbar zu einer Stärkung des religiösen Lebens.

Diese Stärkung hatte er auch bei der von ihm in Angriff genommenen Reform des Damenstiftes Niedermünster in Regensburg im Sinn, aber da stieß er auf Widerstand. Die adeligen Stiftsdamen dachten nicht daran, auf ihr freizügiges Leben zu verzichten, sodass der Reformer genötigt war, ein neues Frauenkloster zu gründen. Nahe ging es ihm auch, als er wahrnehmen musste, dass die Geistlichkeit sich nicht an die liturgischen Vorschriften hielt. Hier griff er ebenso ein wie beim Domkapitel, das er zu einer klösterlichen Lebensweise zwang.
Aber der Bischof war nicht nur ein strenger Zuchtmeister für seine Geistlichkeit, gerühmt wurden auch seine soziale Gesinnung und sein Verständnis für die Armen. Er verteilte Nahrungsmittel zu Zeiten von Missernten und sorgte dafür, dass die Bettler zu essen bekamen. Einmal schlich ein zerlumpter Mann in die bischöfliche Schlafkammer und versuchte einen Vorhang zu stehlen. Als er dabei erwischt und dem Herrn des Hauses vorgeführt wurde, sah dieser von einer Bestrafung ab und schenkte ihm ordentliche Kleidung.
Wie es den Grundsätzen von Gorze entsprach, war Wolfgang ein treuer Vasall seines Kaisers sowie des Herzogs und erschien oft an den Hoftagen. Er musste sogar einen Feldzug nach Frankreich mitmachen. Als das Heer Bedenken hatte, einen Hochwasser führenden Fluss zu überqueren, ritt er mit Mut voran und brachte die Krieger in Sicherheit. Ihm wurde auch die Erziehung der herzoglichen Kinder anvertraut, und er hatte die Genugtuung, zu sehen, dass aus allen vieren etwas Ordentliches wurde. Der Ältere, Heinrich, brachte es sogar zum Kaiser und wurde später heiliggesprochen. In Niederösterreich wird man mancherorts noch an

Die Investitur Wolfgangs zum Bischof (Gemälde in St. Wolfgang, 19. Jahrhundert)

den tatkräftigen Bischof erinnert. So veranlasste er die Neubesiedelung des seinerzeit von den Ungarn verwüsteten Gebietes am Fluss Erlauf und gründete dort zur Abwehr von Gefahren aus dem Osten eine Burg und eine Kirche – Bauten, die in der Stadt Wieselburg über die Jahrhunderte hindurch teilweise so erhalten geblieben sind, wie sie damals gebaut wurden.

Tod in Pupping

Als Wolfgang alt geworden war, reiste er noch einmal per Schiff die Donau hinab. Der Zweck der Reise ist nicht ganz klar, vermutlich ging es jedoch um die Regelung von Besitzangelegenheiten, denn außer ihm fuhren auch noch der Salzburger Erzbischof und der bayerische Graf Aribo auf eigenen Schiffen dieselbe Strecke. Wolfgang erkrankte unterwegs, sodass er an Land gebracht werden musste. Dies geschah in Pupping im heutigen Oberösterreich, einem kleinen Dorf im fruchtbaren Eferdinger Becken. Als er feststellte, dass die dortige Kirche dem heiligen Othmar geweiht war, fiel ihm ein, dass er einmal geträumt hatte, Othmar stünde vor ihm und verkünde, er würde einmal in einem ihm geweihten Gotteshaus sterben. Er ließ sich also in die Kirche betten und bereitete sich auf den Tod vor. Als die Bevölkerung hörte, was für ein wichtiger Mann unter ihnen weile, strömte sie in Massen herbei, sodass man sie hinausschicken wollte. Er aber befahl, die Tore weit aufzumachen und die Leute hereinzulassen. Sterben, sagte er, sei keine Schande; schandhaft zu leben sei ein Grund, sich zu

Der Tod des heiligen Wolfgang (Gemälde aus Schwäbisch Hall, 15. Jahrhundert)

In Pupping, der Sterbestätte des heiligen Wolfgang, gibt es heute ein Franziskanerkloster.

schämen. Auch Christus sei nackt und bloß am Kreuz gestorben. In den Abendstunden des 31. Oktober 994 verschied er. Kaum war er gestorben, trafen Aribo und der Erzbischof ein. Sie arrangierten sogleich den Transport des Leichnams nach Regensburg, wo er im südlichen Seitenschiff der Kirche von St. Emmeram bestattet wurde. Nicht einmal 60 Jahre später wurde der verehrte Hirte bereits vom Papst heiliggesprochen. Für sein Grab wurde ein eigener Raum in der Klosterkirche geschaffen, die Wolfgangskrypta, bis heute ein Ort voller Stimmung, in dem die Gebeine des Heiligen in einem goldenen Schrein ruhen.

Wundergeschichten

Der Regensburger Historiker Paul Mai attestiert Otloh und Arnold, dem zweiten Biografen Wolfgangs, eine „nüchterne Berichterstattung". Trotzdem konnten es die beiden mittelalterlichen Mönche nicht unterlassen, hie und da Wundergeschichten in das Geschehen einfließen zu lassen, mitunter auch solche, die uns heute etwas eigenartig vorkommen.

Beispielsweise berichteten sie, die Predigten des Bischofs im Dom von Regensburg hätten einen so ungeheuren Zulauf bewirkt, dass sich der Teufel nach einiger Zeit veranlasst sah, einzugreifen. Er veranstaltete an der Decke der Kirche ein wahrhaft gewaltiges Getöse, erfüllte die Luft im Gotteshaus mit

Staub und entfesselte einen starken Sturm. Wie er erwartet hatte, stürzte das ganze Volk auch wirklich ins Freie, dem heiligen Wolfgang aber gelang es umgehend, das Spektakel als Blendwerk des Teufels zu entlarven und den Störenfried umgehend zu vertreiben.

Der Teufel stört die Predigt des heiligen Wolfgang (Gemälde am Pacher-Altar in St. Wolfgang, um 1480).

Ein weiteres Beispiel erzählt von einem Boten, den der Oberhirte einst ausgeschickt hatte und dem sein Pferd von Unbekannten gestohlen worden war, sodass er nun seiner Aufgabe nicht nachkommen konnte. Als er verzweifelt dem abwesenden Herrn sein Leid klagte, stand auf einmal ein gesatteltes Ross vor ihm, dessen Besitzer man nie ermitteln konnte.

Vor allem sei die „Post-sex-Legende" erwähnt. Heinrich, der Zögling Wolfgangs, betete einmal an dessen Grab und bemerkte plötzlich an der Wand die Aufschrift „Post sex", das heißt „nach sechs". Er war daraufhin der Meinung, dass er nun nach sechs Tagen sterben müsse. Als dies ausblieb, tippte er auf sechs Wochen, dann auf sechs Monate. Auch dieser Zeitraum verstrich, schließlich waren genau sechs Jahre vergangen und er wurde zum Kaiser gewählt.

Alle diese und weitere Mirakel hätten den heiligen Wolfgang aber kaum bekannt gemacht, hätte es nicht die Legende vom Falkenstein und vom Abersee gegeben.

Die Legende vom Aber- oder Wolfgangsee

Der heute nach dem heiligen Wolfgang benannte See, der früher Abersee hieß, gehörte seinerzeit großteils zum Fürsterzbistum Salzburg und zum kleineren Teil zum Kloster Mondsee. Letzteres wiederum unterstand im 10. Jahrhundert dem Erzstift Regensburg, sein Herr war damals Bischof Wolfgang, und es ist gewiss, dass er sich mindestens einmal dort aufhielt, vermutlich im Jahre 976, als sich der bayerische Herzog Heinrich II. gegen den deutschen Kaiser auflehnte. Der Geschichtsschreiber Aventinus berichtete im 16. Jahrhundert sinngemäß darüber: „Wolfgang war dieser Aufstand gar nicht recht, denn Herzog und Kaiser waren die Söhne zweier Brüder. Er floh in das Gebirge und hauste im Kloster Mondsee, das damals zu Regensburg gehörte."
So weit reicht die wenigstens einigermaßen gesicherte geschichtliche Überlieferung. Die Sage aber bemächtigte sich dieser Flucht des Heiligen und umgab sie mit einem Sagenkranz, der zu den wirkkräftigsten Erzählungen des Mittelalters gehörte.

Die Ereignisse vom Falkenstein

Diese Legende, die hier versehen mit Zitaten aus dem Mirakelbuch von 1753 wiedergegeben wird, bringt schon im Ansatz neue Fakten: Dem hl. Wolfgang, hieß es, sei als Bischof so viel Hochachtung entgegen gebracht worden, dass er meinte, für das ewige Leben würden keine Ehren mehr übrig bleiben. Er beschloss also, in Buße und Abtötung Gott zu dienen und begab sich in die Einsamkeit, dabei ließ er sich auf der *„rauen, harttfelsigen Höhe des Falckensteins"*, nieder, die hoch über dem Abersee *„eine formliche Wildnuß und Einöde vorstellet"*. Er schlief in einer Höhle und nährte sich von Wurzeln und Kräutern, begleitet wurde er von einem frommen Klosterbruder. Der aber war nicht geeignet für ein so hartes Leben; vornehmlich machte ihm der Durst zu schaffen. Um dem abzuhelfen, stieß der Bischof seinen Stab in den Felsen, worauf wie seinerzeit bei Moses eine Quelle entsprang, die heute noch fließt und deren Wasser für alle möglichen Leiden guttut. Trotzdem verließ ihn der Begleiter, der Heilige blieb allein zurück.

Der Teufel, *„der aus dem strengen und frommen Lebens-Wandel dises heiligen Mannes für sich und seine Höll nichts Gutes vorsahe"*, schob nun zwei gegenüber liegende Felsen zusammen, um den Einsiedler zu zermalmen. Der aber lehnte sich mit dem Rücken an das Gestein und bildete so ein Kreuz. Auf diese Weise vertrieb er *„des Teufels betrügliche Gewalt"*. Der Stein aber nahm die Abdrücke seines Kopfes und der Hände auf, *„wie solches auf heuntigen Tag denen andächtigen Wallfahrtern nicht ohne Verwunderung wird fürgezeiget"*.

Der Teufel schiebt die Felsen zusammen, um den Heiligen zu vernichten (Gemälde um 1515 in der Wolfgangkirche von Rothenburg ob der Tauber).

Nun fiel Wolfgang auf die Knie nieder und bat Gott, ihm einen Ort zu zeigen, wo er ihm ohne solche Bedrängnisse dienen könne. Er warf sein Beil ins Tal und gelobte, dass er dort, wo es zu liegen käme, eine Kirche bauen würde (siehe auch Seite 83).

Die Ereignisse am Wallfahrtsort

Nach drei Tagen fand er das Beil an der Stelle, an der heute die Kirche von St. Wolfgang steht. Daselbst errichtete er eine Hütte für sich zum Wohnen, „Zelle" genannt, und eine kleine Kirche. Es zeigte sich abermals der Teufel und erbot sich, beim Kirchenbau zu helfen, *„in Hoffnung, zum Lohn ein angenehme Seelen-Beuth darvon zu tragen"*. Er sagte: *„Schencke mir den ersten Pilgram, so zu dieser Cellen kommen wird."* Wolfgang vertröstete ihn bis zum nächsten Tag und erbat sich bis dahin von Gott Hilfe und Beistand. Am nächsten Morgen kam ein Wolf, und der Heilige sagte zum Teufel: *„Sihe diß ist dein Lohn"*, worauf Satan in Wut ausbrach, weil er von *„disem Mönch"* so sehr betrogen worden war, den Wolf zerriss und abzog – *„unter erschröcklichem Heul=Geschrey"*.

Einmal verschlief Wolfgang die Zeit, die er sich für das Gebet vorgenommen hatte. Er warf sich daraufhin aus Reue auf den Stein, der neben der Zelle lag, dieser wurde aber weich und nahm die Abdrücke des Heiligen auf, *„die von denen Pilgeren andächtig verehret"* werden.

Die Kirche will den heiligen Wolfgang nach Regensburg begleiten (Gemälde um 1515 in der Wolfgangkirche von Rothenburg ob der Tauber).

Nach geraumer Zeit entdeckte ein Jäger den Eremiten und meldete dies nach Regensburg, worauf eine Gesandtschaft erschien und Wolfgang ersuchte, doch wieder in sein Bistum zurückzukehren, *„welchen allen sich der heilige Mann, ungeachtet, es ihme sehr schwehr gefallen, doch in reiffer Erwägung Göttlicher Fürsehung nicht widersetzet“*. Als er seiner Zelle den letzten Segen erteilte, *„hat sich dise aus Göttlicher Krafft beweget und umgewendet, gleich als wolle es den frommen Bischof begleiten“*. Er aber gebot ihr, stillzustehen und fügte hinzu, er werde an dieser Stelle vielen Menschen wunderbare Hilfe zukommen lassen. In Regensburg aber, an seinem Grab, werde es keine Wunder geben.

Die Örtlichkeiten dieser Legende

Als in den Fünfzigerjahren des vorigen Jahrhunderts geplant war, den Falkenstein mit einer Straße zu erschließen und damit für St. Wolfgang eine direkte Verbindung gegen Westen zu schaffen, erhoben sich allenthalben so viele Stimmen des Protestes, dass das Projekt nicht realisiert wurde und dem Falkenstein seine einzigartige Romantik blieb. Es handelt sich bei diesem um ein von Felsen und Wäldern umschlossenes Hochtal, ungefähr 200 m über dem See, in dem sich einprägsame alte Kultstätten finden, die möglicherweise auf vorchristliche Zeit zurückgehen.

Bei der Kreuzigungskapelle etwa, am Ende des steilen Aufstieges, warfen die Wallfahrer Steine, die sie aus Buße mit heraufgetragen hatten zu großen Haufen zusammen. Geht man ein kleines Stück weiter, gelangt man zu einer Lichtung, auf der, an den Felsen gelehnt, die Falkensteinkirche steht. Dort war die Einsiedelei des heiligen Wolfgang. Im Inneren hängt nicht nur eine Wunschglocke, es gibt darin auch einen berühmten Durchkriechstein im Felsen. Im Durchschlüpfen soll der Pilger alles Übel, auch seine Sünden abstreifen können. Beliebt war es auch, gegen die Felsen zu rufen: Heiliger Wolfgang, bist da? Wennst da bist, schreist Ja!“, worauf das dortige Echo natürlich eine positive Antwort gab. Unterhalb der Kirche befand sich im 17. und 18. Jahrhundert eine Einsiedelei, die 2011 archäologisch untersucht wurde. Die letzten dort wohnhaften Eremiten waren übrigens Verwandte von Wolfgang Amadeus Mozart.

Ein Stück weiter auf dem Weg nach St. Wolfgang liegt die Brunnenkapelle mit der vom heiligen Wolfgang erweckten, heilsamen Quelle, und noch etwas weiter befindet sich die Stelle, wo Wolfgang sich der Legende nach zur Abwehr Satans an den Felsen lehnte und dabei die immer noch sichtbaren Abdrücke seines Kopfes und seiner Hände hinterließ. Es folgt schließlich der Ort, von dem er sein Beil ins Tal schleuderte. Steigt man dann den Berg hinunter, kommt man an einem Stein vorbei, auf dem der Heilige gerastet und wiederum seine Eindrücke hinterlassen hat.

In der Wallfahrtskirche von St. Wolfgang finden sich weitere bedeutsame Gedenkstätten: In einem Anbau, der Wolfgangkapelle, steht die Marmor-Nachbildung der Zelle des heiligen Wolfgang, jenes Häuschens, in dem der Einsiedler wohnte. Davor liegt ein Stein, der noch einmal die Eindrücke Wolfgangs trägt. Beides, Zelle und Stein, waren das eigentliche Ziel der Wallfahrer, hier waren sie ihrem Patron am nächsten. Ein Bilderzyklus schildert die Geschichten, die sich hier abgespielt haben sollen. Es fehlt nicht einmal eine Wiedergabe des Loches in der Decke, durch die Satan mit dem Wolf ausfuhr. In der Kapelle sind Votivgaben und Votivbilder in großer Zahl angebracht. Die Kirche ist freilich auch aufgrund der zahlreichen Kunstschätze berühmt, die hier zu Ehren des heiligen Wolfgang aufgestellt wurden, allen voran der Flügelaltar Michael Pachers. Daneben sollte man aber auch die Schatzkammer nicht übersehen, die weitere Andenken an den Kirchengründer birgt, darunter seinen Stab, eine wertvolle Emailarbeit aus dem 12. Jahrhundert, und seinen Kelch.

Die Wallfahrt

Otloh, der Biograf des heiligen Wolfgang, schrieb um 1050 bedauernd, die Verehrung eines so hochverdienten Mannes, den der Papst selbst heiliggesprochen habe, müsste eigentlich viel intensiver sein. Tatsächlich hielt sich diese im Regensburger Bereich in Grenzen. Ein paar Kirchen wurden ihm geweiht, von einem größeren Zulauf zum Grab ist nichts bekannt.
Hingegen heißt es bereits 1306 in einer Urkunde, dass *„bei der Kirche am See nahe Mondsee"* Völker aus den verschiedensten Gegenden in großer Menge zusammenströmten. Nicht viel später wurde, offenbar auf Grund hohen Bedarfes, ein großes Gebäude zur Unterbringung der Pilger errichtet. Am Abersee, der später Wolfgangsee hieß, war also die Wallfahrt schon um 1300 hoch entwickelt, ganz im Gegensatz zur Grabstätte des Heiligen. An dieser Situation änderte sich in den darauffolgenden Jahrhunderten nur wenig: Um 1500 kam in Nürnberg eine Landkarte heraus, in der die größten Pilgerziele Mitteleuropas eingetragen waren. Auf dieser wurde St. Wolfgang mehr als die meisten anderen hervorgehoben und war damals wohl der drittgrößte Wallfahrtsort überhaupt.
Ein schlesischer Ritter zog 1496 nach Jerusalem und ließ es sich nicht nehmen, trotz vieler durchgemachter Strapazen, trotz Winter und Tiefschnee auf der Rückreise den Umweg nach St. Wolfgang zu machen. Liest man sein Tagebuch, dann hat man fast das Gefühl, der Verehrungsort des heiligen Wolfgang habe auf ihn den stärkeren Eindruck gemacht.

Die Kirche von St. Wolfgang mit dem berühmten Flügelaltar von Michael Pacher (um 1435 bis 1498)

Die an den Felsen gebaute Kirche im Hochtal des Falkensteins

Die gute wirtschaftliche Lage jener Zeit ermöglichte es, den kostbaren Flügelaltar Michael Pachers zu bestellen und zu bezahlen. Selbst Kaiser Maximilian I. war von dem Ort so angetan, dass er plante, sich am Falkenstein begraben zu lassen. Das Vorhaben wurde aus Gründen, die nicht ganz klar sind, hintertrieben. Wäre es gelungen, dann stünde das großartigste Kaisergrab des Reiches nicht in der Hofkirche in Innsbruck, sondern beim Heiligtum des heiligen Wolfgang am Abersee.

Wenige Jahrzehnte später brach die Wallfahrt ein. Die Reformation schätzte einen Heiligen recht wenig, von dem es hieß, er habe, statt seinen seelsorglichen Pflichten nachzukommen, in der Einsamkeit kuriose Auseinandersetzungen mit dem Teufel ausgetragen. Der Zustrom hörte allerdings nicht gänzlich auf, er erholte sich auch wieder, nachdem sich um 1600 der Mondseer Abt Wasner um nachdrückliche Propaganda für den Ort bemühte. Im Barock folgte eine neuerliche Blütezeit, bis die im höchsten Maße pilgerfeindliche Aufklärung alle Wallfahrten verbot, bei denen man über Nacht ausbleiben musste. Umso erstaunlicher ist es, dass die abgelegene Wolfgangstätte, die man nur auf langen Wegen erreichen konnte, immer noch aufgesucht wurde, und dass dieser Zuzug bis heute anhält, ja sogar zunimmt. Fußwallfahrten, die früher nur von einer Handvoll Pilger absolviert wurden, verzeichnen plötzlich lebhaftes Interesse, und – man wird es kaum glauben – St. Wolfgang mit dem numinosen Hochtal des Falkensteins gilt trotz des überbordenden Tourismus, der im Sommer das Ortsbild beherrscht, auch als ein eindrucksvoller Ort der Spiritualität.

Die Wunder des heiligen Wolfgang

Die beste Werbung für einen Wallfahrtort bedeutete es, wenn sich dort viele Wunder ereigneten. Leute, die solche erfahren hatten, waren gehalten, sie publik zu machen. Wie berichtet wird, ließ sogar der Heilige selbst erkennen, wie wichtig ihm das war. So wurde Andrä Schwärzl aus Ischl 1522 nach einer Verwundung geheilt, unterließ es aber, das Geschehen kundzutun, worauf sieben seiner acht Kinder starben. Als auch das achte erkrankte, erschien ihm der Nothelfer persönlich und erinnerte ihn an sein Versäumnis. Er versprach, es nachzuholen, und augenblicklich wurde der Sohn gesund.

Die vielen wunderbaren Geschehnisse wurden auf Votivtafeln geschildert. Im 18. Jahrhundert wurden in St. Wolfgang innerhalb von 36 Jahren nicht weniger als 900 solche Bilder gestiftet. Die meisten davon sind jedoch nicht erhalten geblieben. Es existieren heute aber noch drei der sogenannten Mirakelbücher, in denen die Wunder aufgezeichnet wurden, das älteste aus dem Jahr 1599, verfasst von Abt Wasner aus Mondsee.

Sie schildern einerseits die mannigfachen Notlagen, in denen die Leute den heiligen Wolfgang anriefen, andererseits die Formen der Wallfahrt oder des Dankes nach erfahrener Hilfe. Es sind Berichte darunter, die uns heute einigermaßen erschüttern über die damaligen Zustände, wie etwa die Geschichte eines Mädchens aus Sierning bei Steyr, das von einem Schwein „dermassen zerbissen und zerrissen“ wurde, „dass es eynem Menschen nicht gleich gesehen“, oder die Erzählung von einem Mann aus dem Bayerischen Wald, dem marodierende schwedische Soldaten das Geld abnahmen. Anschließend wurden ihm mit brennenden Spänen die Achseln verbrannt und der Fuß aufgeschnitten, sodass man ihn nach solchen Misshandlungen für ein totes Tier hielt. Immer wieder heißt es, die Votanten seien leblos dagelegen, etwa mit einem Messer im Hals oder mit aufgeschlagener „Hirnschal“, sodass das Gehirn zu sehen war und der Schädelknochen „wie ein Oberluck“ auf- und zugegangen sei. Es folgt die stereotype Formel, nach Anrufung des heiligen Wolfgang und nach dem Geloben eines Opfers seien die Betreffenden wieder „frisch und gesund“ gewesen, selbst wenn die Verletzung oder die Krankheit noch so gravierend war.

Anderes mutet eher kurios an, etwa der Bericht von einem Burschen aus Straubing, der fünf Jahre lang eine Schlange im Leib hatte, die ihm unleidliche Schmerzen bereitete, weil sie ihn innerlich immer wieder biss. Ein Bierbrauer aus Rosbach (Reisbach?) in Niederbayern bemerkte, wie aus seinem Fass das

Bier ausfloss. Über Anrufung des heiligen Wolfgang hörte das Ausrinnen auf. Als aber das Fass leer war, fand man am Boden ein beträchtliches Loch, sodass das gesamte Bier wohl verloren gewesen wäre, hätte nicht „Wolffgangus mit seinem Wunder-vollen Gnaden-Häcklein einen Spund vorgemacht“. Manchmal erschien der Heilige der notleidenden Person selber und mahnte sie zur Wallfahrt, ja schrieb ihr sogar Erschwernisse auf dem Weg oder besondere Opfer vor. Letztere bestanden meist aus Wachs, aber beispielsweise auch in der Überbringung des Messers, in das der Betreffende gefallen war. Als Erschwernis galt es etwa, wenn der Geheilte am Weg um Almosen betteln oder gar, wenn er sich sein Opfer zusammenschnorren musste. Ein Mann aus St. Annaberg, der „auß unmässigem Zorn“ seine hochschwangere Frau halb totgeschlagen hatte, schämte sich der gelobten Bettelei und zahlte das Opfer aus eigenen Mitteln, worauf ihn Ungemach befiel, das erst aufhörte, als er seinem Versprechen nachkam. Andere verpflichteten sich, „barfuß in Wasser und Brot“ oder gar „nackend und bloß“ hierher zu ziehen.

In allen Nöten vertraute man sich dem heiligen Wolfgang als Helfer an (Votivbild aus St. Wolfgang bei Griesbach, 16. Jahrhundert).

Bleibt noch die Frage, woher die Leute stammten, die an dem so weitum berühmten Ort Hilfe suchten. Der Großteil stammte aus Bayern, es waren aber auch viele Österreicher darunter. Bis zur Reformation kamen sie auch aus so weit entfernten Gegenden wie Ungarn oder Sachsen. Der Erzbischof von Magdeburg war darunter, nachdem er von „abschewlichen Blattern wie die kleynen Tannenzapfen“ befallen war, ebenso Ottheinrich, Pfalzgraf bei Rhein, Herzog von Ober- und Niederbayern, der bei einem Turnier einen Knochenbruch erlitten hatte. Er gelobte das Opfer eines Wachsbildes, „so schwär, als ihr Fürstl. Gnaden sein sol“. Daneben begegnen uns in den Mirakelbüchern einfache Bürger, ein „andachtiges Jungckfrawlein“, Bergleute und immer wieder Kinder, deren „betrübte Eltern“ die einzige Hilfe in einer Wallfahrt sahen. Diese taten sie, wie das Mirakelbuch betont, nicht umsonst.

Andere Wolfgangorte

Schon bald nach der Heiligsprechung wurden dem Bischof Wolfgang in der Gegend um Regensburg Kirchen geweiht. Dabei handelt es sich um normale Pfarrkirchen, zu denen keine Wallfahrer kamen und die auch sonst nicht besonders bemerkenswert sind. Lediglich in Böbrach im Bayerischen Wald gibt es an dem „Wolfgangriegel“ genannten Berg ein interessantes Heiligtum. Es ist ähnlich wie die Falkensteinkirche an eine Felswand gelehnt. Der Heilige soll hier bei einer Reise nach Böhmen gerastet und eine Zeitlang als Eremit gelebt haben. Ein engagierter Verein kümmert sich um die Stätte und will auch hier einen Pilgerweg installieren.

Südlich der Donau trifft man immer wieder auf kleine Kirchen, die Wolfgang zum Patron haben. Es handelt sich vielfach um Raststationen der Pilger, die an den Abersee zogen. So werden Gerabach, St. Wolfgang bei Essenbach und St. Wolfgang bei Griesbach von den im zweiten Teil des Buches vorgeschlagenen Wolfgang-Wegen berührt und dort vorgestellt. Im Norden des Chiemsees findet man St. Wolfgang bei Baumburg, einen spätgotischen Bau. Er wurde über einem Kultstein errichtet, der als Durchkriechstein gilt. Hier kann der Mensch, so heißt es, Sünden, Krankheiten und sonstiges Übel abstreifen, ähnlich wie im Felsenloch am Falkenstein. Südlich vom Chiemsee erhebt sich weit oben am Hang des Hochgern das Bergheiligtum

St. Wolfgang bei Griesbach im „Bayerischen Bäderdreieck“

Die Wolfgang- oder Schäferkirche von Rothenburg ob der Tauber ist in die Stadtmauer integriert.

am Streichen, auch dieses ist dem heiligen Wolfgang geweiht. Im Westen von München, nahe der Autobahnauffahrt liegt in Pipping ein besonders reizvolles Wolfgangkirchlein, in dem auf einem Flügelaltar die Wallfahrt zum Heiligen eingehend geschildert wird. Eine Pilgerkirche ist auch die von Velburg in der Oberpfalz, die unter einer mächtigen Höhle erbaut wurde.
Bedeutend ist die Kirche von St. Wolfgang bei Dorfen, die von 1733 bis 1903 sogar Sitz eines Kollegiatsstiftes war. Sie ist reichlich mit gotischen und barocken Kunstwerken geschmückt. Im Inneren entspringt eine Quelle, die der heilige Wolfgang erweckt haben soll. Ihr Wasser gilt als heilsam. Auch dass der Bischof hier sein Beil geworfen habe, erzählt man sich hier.

Es ist unmöglich, alle die bayerischen, schwäbischen und fränkischen Wolfgangheiligtümer aufzuzählen. Sie zeichnen sich häufig durch gotische Flügelaltäre, durch schöne barocke Kunstwerke oder durch besondere Bräuche aus. In Rothenburg ob der Tauber etwa, wo der Heilige als Patron der Schäfer verehrt wurde, steht ein besonders bemerkenswerter Altar aus der Schule Tilman Riemenschneiders. In Ochsenfurt am Main zieht traditionell alle zwei Jahre zu Pfingsten eine Reiterprozession zur St.-Wolfgang-Kirche. In Thaining nahe Landsberg am Lech wurde die sogenannte Votivkirche von einem dankbaren Wolfgang-Pilger gebaut, der Heilung gefunden hatte. Sie ist überreich mit barocken Figuren ausgestattet, die an die hier geübten Passionsspiele erinnern. In der Schweiz enthält die Kapelle von Düdingen hart an der deutsch-französischen Sprachgrenze einen umfangreichen Bilderzyklus mit Darstellungen aller Lebensstationen des Heiligen, vor allem der legendären Geschehnisse am Abersee.

Selbst im sächsischen Erzgebirge gibt es Verehrungsstätten des Regensburger Bischofs. Diese entstanden, weil der heilige Wolfgang von den Bergleuten als Helfer angerufen wurde, denn diese wussten aus den Legenden, dass er das Gestein weich machen, ihnen also die Arbeit erleichtern konnte. Die Knappenkirche von Schneeberg wurde noch während ihrer Bauzeit protestantisch, sie heißt aber heute noch Wolfgangkirche. In Annaberg-Buchholz zeigt ein gotischer Altar den Heiligen mitten unter Bergarbeitern.

Da Wolfgang in Böhmen ein eigenes Bistum zugelassen hatte, war er auch dort recht volkstümlich und man zeigte mehrere Stätten, an denen er gerastet und seine Fußspuren hinterlassen hatte, etwa in Chudenice/Chudenitz oder in der Nähe von Český Krumlov/Krumau.

Schließlich existieren auch in Österreich und Südtirol unzählige Wolfgangorte. Es gibt sie in fast jedem Bundesland und viele von ihnen sind recht bemerkenswert, etwa Rain bei Taufers, wo Wolfgang mit Hilfe des Teufels eine Straße gebaut haben soll, oder Fratres in Kärnten, wo jedes Jahr am Ostermontag ein sogenanntes Sauhaxenopfer stattfindet. In Bad Fusch an der Glocknerstraße gilt er als Wasserpatron. Ebenso bestand in Jochberg nahe Kitzbühel eine Heilquelle, zu der die Leute aus der näheren und weiteren Umgebung pilgerten. Bereits aus dem Jahr 1505 wird von Wundern berichtet. Auch hier bemüht sich ein örtlicher Verein um den Wolfgangkult. Ferner ist Kefermarkt zu erwähnen, dessen hochberühmter Flügelaltar unserem Heiligen geweiht ist. Er tritt uns in seiner Mitte als würdiger Bischof mit Kirche und Hacke entgegen. Bis nach Slowenien reicht die Verehrung und sogar in Kroatien gibt es auf einem hohen Berg bei Vukovoj eine Kirche namens Sveti Volfgang.

Abschließend ist zu sagen, dass wohl alle – oder zumindest die meisten – Wolfgangheiligtümer auf die Ausstrahlung zurückgehen, die vom Hauptheiligtum am Abersee ausging, und auf die Eindrücke, welche die Pilger in der einmaligen Landschaft des dortigen Gebietes empfingen. Nicht wenige davon wurden selber wieder Wallfahrtsziele.

Wolfgang-Pilgerweg

FUSSWEG

von Regensburg
nach St. Wolfgang

Zur Einführung

Zu Fuß zu pilgern, das ist immer noch die klassische Art der Pilgerschaft. Dabei soll nichts gegen modernere Mittel der Fortbewegung gesagt sein, sie haben alle ihre Reize und Vorteile, aber das Gehen entspricht nun einmal der Natur des Menschen am besten. Der Wanderer wird eingebettet in die Natur, er erlebt diese und er wird selber ein Stück der Natur. Und für manchen ist das Pilgern ein Weg zu sich selbst.
Die Menschen früherer Zeiten nahmen wie selbstverständlich die Mühen auf sich, welche das Pilgern auf langen Wegen nun einmal mit sich bringt. Und weil das Gehen einen Teil ihres Lebens bildete, waren ihnen besonders jene Heiligen sympathisch, die sich auf den Weg gemacht und weite Strecken beschritten hatten. Wolfgang war einer dieser Heiligen. Er war nach Ungarn gezogen, um dort die Heiden zu christianisieren. Er war, wie die Sage berichtet, nach Böhmen gewandert, um dort ein neues Bistum zu gründen, und er war von Regensburg, seiner Bischofsstadt, in das Gebirge gegangen, um, wie es heißt, in der Einsamkeit Gott zu dienen und seine Seele zu retten.
Während des ganzen Mittelalters und auch in den folgenden Jahrhunderten folgten die Pilger seinen Spuren, und so ist der Weg zum Wolfgangsee einer der großen Wege der Welt geworden, ein Stück abendländischer Kulturgeschichte, das hier wiederbelebt werden soll.
Im Einzelnen lässt sich der historische Weg nicht mehr nachvollziehen. Die örtlichen Gegebenheiten haben sich verändert, Flussübergänge wurden verlegt, aus Pfaden wurden Asphaltstraßen mit gerader Linienführung und viel Verkehr. Gerade Letztere sollten aber unbedingt gemieden werden. Das bedingte gelegentlich Umwege, die manchmal unlogisch erscheinen mögen, aber weniger in die Knochen gehen als ein Marsch auf der Autostraße, der mitunter freilich nicht zu vermeiden war.

Selbstverständlich ist es auch möglich, an verschiedenen Punkten in den Wolfgangweg „einzusteigen“, also nicht die ganze Strecke zu marschieren, wobei verraten wird, dass die Gegend immer attraktiver wird, je näher man dem Gebirge und dem Wolfgangsee kommt. Eine Möglichkeit wäre es etwa, nur das Teilstück ab Altötting zu gehen oder gar in Straßwalchen oder Mondsee zu beginnen.

Was die **Unterkünfte** betrifft, so sei darauf verwiesen, dass die Routen nicht immer durch touristisch erschlossenes Land führen. Speziell im Bereich zwischen Regensburg und Landshut findet man nur wenige Nächtigungsmöglichkeiten, dafür ist die Gegend recht urtümlich. Es sei daher unbedingt empfohlen, jeweils am Morgen den als Nachtquartier vorgesehenen Betrieb anzurufen, denn nichts ist unerfreulicher, als wenn der müde Wanderer am Abend mühsam ein Nachtlager suchen muss oder gar ohne ein solches dasteht. Die einzelnen Gastronomiebetriebe wurden alle angeschrieben, ob sie Pilger aufnehmen würden, doch kann natürlich keine Haftung dafür übernommen werden, dass man dort tatsächlich ein Quartier findet. Im Übrigen wurde Wert darauf gelegt, nur preiswerte Unterkünfte anzuführen. Auch für deren Qualität kann keine Haftung übernommen werden.

Von den **Etappen** in diesem Buch misst die längste 37 Kilometer. Selbstverständlich kann man die jeweiligen Etappen auch anders gestalten, an einem Tag kürzer oder länger gehen, vorausgesetzt, man findet ein Quartier für die Nacht. Der große Pilgerzug, der alljährlich um das Pfingstfest mit ungefähr 10.000 Teilnehmern von Regensburg nach Altötting geht, benützt übrigens aus traditionellen und organisatorischen Gründen eine andere Route.
Die Wege weisen kaum nennenswerte Steigungen auf, weshalb auf Höhenprofile verzichtet wurde. Lediglich am letzten Tag gibt es eine Steigung von rund 100 Höhenmetern zum Scharflingpass und von rund 250 Höhenmetern zum Falkenstein. Der Wegverlauf ist immer möglichst genau angegeben und in den Karten eingezeichnet. Auch hier kann aber weder für den Zustand der Wege noch für die Begehbarkeit eine Haftung übernommen werden. Insbesondere können sich jederzeit Änderungen in der Weg- oder Straßenführung ergeben, es kann auch sein, dass man da oder dort nicht mehr durchgehen kann und darf. Auch gibt es keine Garantie für Kilometer- und Zeitangaben. Selbstverständlich übernehmen die Grundeigentümer und Wegerhalter keine Haftung für den Zustand der Wege.

Ein Wort zur **Ausrüstung**: Da alle Übernachtungen in Gasthäusern und Pensionen vorgesehen sind, braucht man sich nicht allzu sehr mit Schlafsäcken und dergleichen belasten. Regenschutz ist natürlich unbedingt erforderlich, ebenso braucht man festes Schuhwerk. Vor allem empfiehlt sich die Mitnahme von Fußpflegemitteln, etwa Hirschtalg, sowie einer Wasserflasche. Auch Kopfbedeckung und Sonnenschutzmittel sind ratsam. Handy und Fotoapparat sind sowieso Bestandteile des modernen Menschen, doch gilt es die Ladegeräte nicht zu vergessen. Im Übrigen ist jedes Kilo, das man mitträgt, mehr als

sonst eine Belastung für den Wanderer, daher sollte man möglichst restriktiv packen. Denken Sie daran: Viele Pilger haben auf ihrer Tour eindrucksvoll erlebt, wie wenig der Mensch eigentlich braucht.
Autor und Verlag wünschen allen, die sich auf den Weg machen, viele positive Eindrücke beim Pilgern auf dem Wolfgangweg!

Ausgangspunkt Regensburg

Regensburg ist eine der ältesten Städte Deutschlands. Da sie als einzige mittelalterliche Großstadt des Landes den Bombenkrieg nahezu unversehrt überstanden hat, vermittelt die Altstadt heute noch ein authentisches Bild. Mittelpunkt ist der gotische Dom St. Peter, eine mächtige Kathedrale mit zwei Türmen, daneben findet man viele weitere Kirchen, von denen jede eine Sehenswürdigkeit darstellt, etwa die prunkvolle „Alte Kapelle", das der Überlieferung nach älteste Gotteshaus von Bayern, oder die romanische Jakobskirche. Auch das Alte Rathaus, in dem der Immerwährende Reichstag seinen Sitz hatte, die Steinerne Brücke und die Überreste aus der Römerzeit verdienen eine eingehende Besichtigung. Den Wolfgangpilger wird am meisten die Basilika St. Emmeram interessieren, in welcher der Heilige begraben liegt. Sie ist ein besonderes Gotteshaus, denn die darin befindlichen Grabmäler und Statuen reichen in das Hochmittelalter und noch weiter zurück, dazu kommt die prächtige Barockausstattung.
Wegen Übernachtung wende man sich an den Tourismusverband (Tel. 0049/(0)941/507/4410-4412). Das „Hotel zum Fröhlichen Türken" zwischen St. Emmeram und dem Bahnhof ist eine recht gepflegte und günstige Nächtigungsmöglichkeit (Fröhliche Türkenstraße 11, Tel. 0049/(0)941/53651). Dort erhalten Pilger gegen Vorweis dieser Broschüre Rabatt.

Fassade von St. Emmeram in Regensburg. Die Kirche ist der Ausgangspunkt des Pilgerweges.

ETAPPE 1

Von Regensburg nach Pfakofen

34 km

Das Gebiet südlich von Regensburg ist landschaftlich nicht ohne Reiz. Manchmal bietet das Hügelland weite Ausblicke in die Donauebene und auf den Bayerischen Wald, dann wieder trifft der Pilger auf ein romantisches Bachtal oder auf ein Wäldchen. Problematisch wird die Etappe, weil es wenig Gastronomie und damit wenige Nächtigungsmöglichkeiten gibt. Daher wird als Etappenziel der kleine Ort Pfakofen vorgeschlagen, wo Pilger in einer Pension Quartier finden. Dem Wolfgangpilger wird es übrigens ein Anliegen sein, die Wolfgangseiche bei Neueglofsheim zu besuchen, auch wenn es einen kleinen Umweg erfordert.

1. Teilstrecke des Tages:
Regensburg–Thalmassing 24 km, ca. 4 Stunden

Der einzig passende Ausgangspunkt für den Wolfgangweg ist die Grabstätte des Heiligen, die stimmungsvolle Wolfgangkrypta im Westen der Basilika St. Emmeram. Weit ist der Weg von hier bis in die Waldeinsamkeit des Falkensteins und an den See, der seinen Namen trägt. Die meisten Pilger vergessen nicht, ihn um den Segen für seine Wanderung zu bitten. Nach dem Verlassen des Vorhofes von St. Emmeram gehen wir nach rechts, biegen in den St.-Peters-Weg ein und überqueren am Ende desselben den Ernst-Reuter-Platz. Nach rechts geht es zur D.-Martin-Luther-Straße, die in der Folge Galgenbergstraße heißt, über eine Brücke, die Bahngeleise überspannt, und dann mehrere Kilometer weit nach Süden führt.
Rechts kann man die verstreut im Grünen befindlichen Gebäude der Universität erahnen, insbesondere wegen der vielen Studenten. Nach der Brücke über die Autobahn endet die Straße, und man biegt nach links in die Franz-Josef-Strauß-Allee ein. Noch in der dortigen Kurve zweigt nach rechts ein Weg ab, der nach **Oberisling** leitet. Dort biegt man nach links in die Rauberstraße ein. Gegen Ende der Ortschaft ist rechts ein

Reinhausen
Schwabelweis
N
Donau
Regensburg
Tegernheim
Barbing
A 3
B 8
Harting
Burgweinting
Neu-Traubling
Ober-
Unter-
-isling
B 15
375 m
Scharmassing
Piesen-
kofen
Obertraubling
Niedertraubling
Neudorf
Oberhin-
kofen
Mangolding
Egglfing
Pfatter
A 93
Gebelkofen
Scheuer
Wolkering
Köfering
Poign
365 m
Thalmassing
Alteglofsheim
Weillohe
Neueglofsheim
Luckenpaint
Hagelstadt
Unter-
-sanding
Dünzling
Ober-
Höhenberg
B 15n
Ober-
448 m
-laichling
B 15
Paring
Unter-
Pfakofen
0
2
km
Rogging

Metzgerladen zu finden, den man nicht übersehen sollte, wenn man sich mit Getränken eindecken muss, denn anschließend folgt für mehrere Stunden kein derartiges Geschäft mehr.
Die Rauberstraße verläuft geradeaus über zwei Anhöhen und führt dann zum sogenannten Unterislinger Weg, bei dem es sich in Wahrheit um eine breite, stark befahrene Straße handelt. Wenn man diese Straße überquert hat, benützt man einen Weg, der quer über das Feld in Richtung der Ortschaft Unterisling führt. Die Gegend wird beherrscht von einem riesigen Kreuz. Hier feierte der ehemalige Papst Benedikt XVI. bei seinem Regensburg-Besuch am 12. September 2006 vor rund 260.000 Gläubigen die heilige Messe.

Auf einem kurzen Straßenstück gelangt man nach Unterisling, davor sind ein paar mächtige Eichen (Naturdenkmale) zu bewundern. Die Ortschaft ist recht idyllisch. Ab hier kann man dem Radweg „R 9“ folgen. Dieser zweigt nach links ab zu einer Anhöhe, von der sich ein letzter Blick auf Regensburg mit seinen Domtürmen bietet. Unten gelangt man in das wildromantische Tal eines kleinen Baches, das bis zur etwas höher gelegenen Ortschaft **Oberhinkofen** reicht. Der Radweg durchquert den Ort auf der Waldstraße bis zu einer großen Kreuzung. Man überquert diese in Richtung Süden zur Hauptstraße. Nach ungefähr 1½ Kilometern zweigt halblinks eine unbefestigte Schotterstraße ab, auf der man, wenn man sich bei der nächsten Kreuzung rechts hält, geradewegs nach **Gebelkofen** gelangt.
Im Ort kommt man an einem Wasserschloss vorbei. Vor diesem geht die Straße nach Süden in Richtung Stockhof. Dort schwenkt der Weg etwas nach Osten ab und führt an einer arg verfallenen Bruder-Konrad-Kapelle weiter nach Süden.
Auf diesem Weg gelangt man geradewegs nach **Thalmassing**, einem Ort mit etwa 3000 Einwohnern, doch scheint die Infrastruktur, besonders was die Gastronomie betrifft, wenig entwickelt zu sein. Vor allem gibt es keine Nächtigungsmöglichkeit (Verpflegung im Landgasthof Sperger, Hauptstraße 23).

Thalmassing

Thalmassing ist seit prähistorischer Zeit besiedelt. An der Stelle, wo sich heute die Pfarrkirche St. Nikolaus erhebt, stand schon eine römische Villa. 2 km westlich befindet sich die Wallfahrtskirche St. Bäuml, ein altes Baumheiligtum. Vor der Pfarrkirche erinnert ein stattliches Denkmal an den hier geborenen Erzabt Bonifaz Wimmer, der den Benediktinerorden in den Vereinigten Staaten einführte.

2. Teilstrecke des Tages:
Thalmassing–Pfakofen 9 km, ca. 2½ Stunden

Der Weg setzt sich bei der Kirche gegen Westen fort und biegt dann nach Süden (Bergstraße) in Richtung des Sportplatzes ab. Dort beginnt am Ende der Zufahrtsstraße ein Feldweg, der über zwei Anhöhen leitet. Geht man bei der zweiten Anhöhe nach links und unter der Starkstromleitung hindurch, so erreicht man bei den Wirtschaftsgebäuden des Schlosses Neueglofsheim die Asphaltstraße R 10, die man zu überqueren hat. Man befindet sich dann im Bereich des Schlosses **Neueglofsheim**, geht zunächst an einem malerischen Teich, dann unterhalb des Schlosses vorbei, von dem man allerdings nicht viel zu sehen bekommt, zumal es sich um Privatbesitz handelt, den man nicht betreten darf. Besser ist der mittelalterliche Bergfried der dahinterliegenden Ruine Haus auszunehmen. Nach ein paar hundert Metern erreicht man die **Wolfgangeiche.**

Wolfgangeiche

Es handelt sich um einen der monumentalsten und ältesten Bäume Deutschlands. Man gibt sein Alter mit 1000 bis 1200 Jahren an, Fachleute sprechen allerdings nur von etwa 500 bis 600 Jahren. Innen ist er ganz hohl und wirkt wie eine mächtige Höhle. Es heißt, der heilige Wolfgang habe hier gepredigt. Auch erzählt die Legende, der Heilige habe in einem der umliegenden Dörfer Firmung halten wollen und habe einen Boten ausgeschickt, um die Leute davon in Kenntnis zu setzen. Dieser musste jedoch feststellen, dass ihm das Pferd gestohlen worden war, sodass er seiner Aufgabe nicht nachkommen konnte. Er wandte sich im Gebet an den Bischof, und siehe da: Plötzlich stand ein gesatteltes Pferd vor ihm. Niemand konnte feststellen, wem es gehörte; der Bote aber konnte damit seiner Mission nachkommen.

Die Wolfgangeiche ist ein mystischer Platz, bestens geeignet für eine Rast nach dem langen Weg bis hierher. Dem Baum gegenüber führt die sogenannte Prinzenallee hinunter zur R 10, die man überquert, worauf man gleich in den etwas versetzt gelegenen, aber in der gleichen Richtung wie bisher weiterführenden Wanderweg einschwenkt. Dort, wo er endet, hält man sich nach rechts und kommt zur Ortschaft Untersanding. Man geht aber nicht dort hinein, sondern nach links weiter und geradeaus, eine ziemlich lange Strecke bergauf und bergab, dann gegen das Waldstück „Mittleres Frauenholz“. Wenn man den

Ein schöner Rastplatz auf dem Pilgerweg: die Wolfgangeiche bei Schloss Neueglofsheim

Wald verlässt, ist man gleich beim Wallfahrtsort **Höhenberg**, einer recht einfachen Kirche, die so sehr abgeschlossen ist, dass man nicht einmal den von der Ringmauer umschlossenen Bereich betreten kann.

Ab Höhenberg steht dem Pilger ein etwas unangenehmer Umweg bevor. Er muss die Straße begehen, die von der Kirche nach Süden führt, gelangt auf die verkehrsreiche B 15, auf der er die Eisenbahn überquert, und muss auf dieser Bundesstraße noch ein Stück nach dem Parkplatz weitergehen, bis nach rechts eine kleine Straße abzweigt, die zu der Häusergruppe von Einhausen führt. Dort beginnt links ein längerer Weg über die Felder und entlang der Äcker bis zur St 2146, auf der man, nach rechts einbiegend, bald **Pfakofen** erreicht.

Pfakofen

Bei Pfakofen handelt es sich um eine Gemeinde mit ungefähr 1500 Einwohnern. Die Pfarrkirche zum heiligen Georg stammt aus dem 20. Jahrhundert. Rechts vom Hochaltar, der einem Flügelaltar nachempfunden ist, findet man ein Brustbild des heiligen Wolfgang mit einer Reliquie von ihm.

Übernachten kann man in der Pension Hermann Grünbeck, Gartenstraße 26 (Tel. 0049/(0)9451/949293). Sollte es hier nicht klappen, dann kann man sich an das 3 km östlich gelegene Gasthaus Helm in Haid bei Aufhausen wenden (Tel. 0049/(0)9454/270).

ETAPPE 2

Von Pfakofen nach Greilsberg

22 km

Das Highlight dieser Etappe ist das Kloster Mallersdorf, eine riesenhafte Anlage. Das Mutterhaus der „Mallersdorfer Schwestern" wartet mit einer prächtigen Barockkirche auf. Dann verlässt man allmählich die Region Regensburg und gelangt in das Gebiet zwischen den Tälern der beiden Laber-Flüsse und dem Mittleren Isartal. Als Etappenziel wird mit Greilsberg wieder ein kleiner Ort vorgeschlagen, weil es dort eine gute Nächtigungsmöglichkeit gibt.

1. Teilstrecke des Tages:
Pfakofen–Mallersdorf 14 km, ca. 4 Stunden

In Pfakofen sucht man die Straße R 1, die mit „Zaitzkofen" beschildert ist, geht auf dieser weiter und kommt bei der Fuchsmühle zur Brücke über die Kleine Laber, hinter der man nach links in eine Asphaltstraße einbiegt. Man geht dann auf dem zweiten Feldweg rechts weiter auf den nächsten Ort **Inkofen** zu. Das Ortsbild wird dominiert von der gewaltigen, weitum sichtbaren Malzfabrik der Firma Albert Müller. Dort wandert man geradeaus durch, zur Straße R 46, die nach Süden, in Richtung **Upfkofen** führt.
Der Ort hat eine lange, recht geschlossene Häuserzeile. Ziemlich an deren Ende führt eine Straße, auch bezeichnet als Radweg „R 6", in den nächsten -„kofen"-Ort namens Dillkofen. Diesmal handelt es sich um einen kleinen Weiler. Man geht jedoch nicht in diesen hinein, sondern biegt vorher in eine kleine Straße nach links ab. Beim nächsten Feldweg wendet man sich nach rechts und kommt zu einem anderen Feldweg, der nach Süden, also nach links weist. Diesem folgt man und gelangt über Lehrlbach zur SR 60. Wenn man auf dieser Straße ein kurzes Stück nach links marschiert ist, bemerkt man rechts eine Abzweigung in Richtung Hochstetten. Von dort geht eine Straße zur SR 59 hinauf, auf der man nun direkt **Mallersdorf** ansteuert.

N
Aufhausen
B15
Pfellkofen
Pfakofen
Große Laber
Rogging
Wallkofen
Inkofen
Zaitzkofen
Allkofen
Unter-
deggenbach
Upfkofen
Pinkofen
Dillkofen
435 m
Ober-
deggenbach
Habelsbach
Holztraubach
Grafentraubach
Ascholts-
hausen
Kleine Laber
Mallersdorf-
-Pfaffenberg
Ettersdorf
Nieder-
lindhart
B15
Hainkirchen
Oberlindhart
454 m
Unterellenbach
Neufahrn
Oberellenbach
Greilsberg
Langenhettenbach
Penk
Gera-
bach
Dürrenhettenbach
Bayerbach
0
2
km

Mallersdorf

In Mallersdorf bestand seit 1109 ein Benediktinerkloster, das im Hochmittelalter und im 18. Jahrhundert reich und bedeutend war. 1803 wurde es aufgehoben. 1869 kaufte eine erst kurz zuvor in der Pfalz entstandene Gemeinschaft von Franziskanischen Schwestern die leerstehenden Gebäude und begründete hier ihre Hauptniederlassung. Die „Mallersdorfer Schwestern" wurden bald ein Begriff und blieben es bis heute. Sie sind in vielfältiger Weise sozial tätig, betreiben Kinderheime, arbeiten in Krankenhäusern und Altersheimen und wirken auch in fernen Ländern. Die mittlerweile durchaus eindrucksvollen Gebäude des Mallersdorfer „Mutterhauses" beweisen ihre Bedeutung. Die ehemalige Klosterkirche gehört, abgesehen von ihrem romanischem Portal, mit farbenfrohen Fresken, besonders aber mit dem prunkvollen Hochaltar Ignaz Günthers zu den Glanzpunkten des bayerischen Rokoko.

Im Kloster kann man nicht nächtigen. Es gibt nur gegenüber der Kirche das kleine Klosterbräustüberl mit ein paar Zimmern (Tel. 0049/(0)8772/915470) oder das Hotel Steinrain, das aber ungefähr 3,5 km westlich des Ortsteils Pfaffenberg auf der Steinrainer Straße SR 35 liegt (Tel. 0049/(0)8772/366).

Der gewaltige Komplex des Klosters von Mallersdorf, des Mutterhauses der „Mallersdorfer Schwestern"

2. Teilstrecke des Tages:
Mallersdorf–Greilsberg 8 km, ca. 2 Stunden

Von dem mit einem Marienbrunnen geschmückten Marktplatz in Mallersdorf nimmt der Pilger die gegenüber dem Klosterberg geradeaus nach Süden führende Straße, verlässt sie aber bald zugunsten der rechts abbiegenden Bachstraße, die er verfolgt bis zu einem Wiesenweg halblinks mit einer Brücke. Dieser führt zu einem Kanal, den man entlangwandert, später dann geradeaus zur SR 66 und rechts zum Ort **Niederlindhart**. Der mächtige Turm im Osten, der die Landschaft an dieser Wegstrecke beherrscht, gehört übrigens zu der sehenswerten Kirche des Ortsteils Weiler. In Niederlindhart führt, etwas nach links versetzt, aber im Wesentlichen in der bisherigen Richtung, die Straße nach Hainkirchen weiter. Von dort geht man ebenfalls geradeaus weiter über eine Anhöhe und einen Wald bis zur SR 57, wo die Ortschaft Unterellenbach liegt. Diese berührt man aber nicht, sondern wendet sich auf der Straße nach links. Beim Schild, das „Breitenhart", den Namen des nächsten Weilers anzeigt, biegt man nach rechts in eine landwirtschaftliche Straße ein. Wenn man die zweite Anhöhe erreicht hat, findet man eine Asphaltstraße nach links in Richtung **Greilsberg.**

Greilsberg

Greilsberg ist zwar eine eigene Gemeinde. Hier gibt es aber im Gegensatz zu den umliegenden Ortschaften (das ca. 11 km entfernte Ergoldsbach ausgenommen), einen Zimmeranbieter, das originelle Gasthaus Pritscher. (Motto: „Wo es sonst nix gibt, da finden Sie uns", Tel. 0049/(0)8774/226).

ETAPPE 3

Von Greilsberg nach Landshut

37 km

Eine etwas weite Wegstrecke, die längste Etappe von allen, sie ist aber nicht unangenehm zu begehen. Man wandert durch hügeliges Bauernland in das Isartal hinunter, wo am Ende die Stadt Landshut ein attraktives Ziel bildet. Wir kommen an zwei Wolfgangheiligtümern vorbei, gleich am Anfang in Gerabach und später in St. Wolfgang bei Essenbach.

1. Teilstrecke des Tages:
Greilsberg–Essenbach 23 km, ca. 5½ Stunden

In Greilsberg befindet sich der Wanderer auf der LA 28 und folgt dieser in südlicher Richtung nach Penk, wo er in der Ortsmitte auf die östliche Talseite wechseln und dort den Hang entlang in gleicher Richtung weitergehen kann. Er stößt dann auf eine Asphaltstraße, in die er nach links einschwenkt. Kurz vor der Kreuzung taucht schon die Wolfgangskirche von **Gerabach** auf, die er nach etwa einem Kilometer erreicht.

Wolfgangskirche von Gerabach

Es handelt sich um eine der ältesten Kirchen, die unserem Heiligen geweiht wurden, denn manche Bauteile sind noch romanisch. Das Gesamtbild ist aber barock, auch die Ausstattung. Dabei ist besonders die Decke zu beachten, welche die verschiedenen Patronate des Heiligen und seine Wunderkraft vor Augen führt. Auch eine Reliquie von ihm gibt es, und zwar in einer Nische der Südwand. Neben der Kirche findet sich ein Brunnen, dessen Wasser als ganz besonders wirkkräftig gerühmt wird. Die Kirche ist meistens versperrt. Die Mesnerin wohnt in dem rechts oberhalb gelegenen Haus.

Von diesem anheimelnden Platz geht man die St.-Wolfgang-Straße auf die andere Seite hinunter und gelangt über die Bachstraße links und die Gerabacher Straße in das ungefähr einen Kilometer entfernte **Bayerbach.** Man geht nicht ins rechts gelegene Zentrum, sondern nach links in die Marktstraße, die bei einer etwas verzwickten Kreuzung endet. Man nimmt dort die Feuchtener Straße und biegt noch vor Feuchten nach links in die Armannsberger Straße ein, die man aber bald zugunsten der nach rechts abzweigenden Vogelbergstraße zu verlassen hat.

Außenansicht der Wolfgangkirche von Gerabach

Über diese und eine weitere Straße nach links gelangt man in den Weiler Hölskofen mit seiner hübschen Antonius-Kapelle. Hier scheint man im Herzen Bayerns zu sein, denn die 1991 verfasste Ortschronik schreibt: „In Hölskofen wird noch der letzte bayerische Monarch geschätzt, und hier ist man stolz darauf, dass sich noch kein Preuß einnisten konnte." Wir verlassen den Ort nach Westen in Richtung Paindlkofen, wenden uns aber zuvor nach links, nach Winkelmoos, dort wieder nach links und gelangen so nach **Moosthann**. Die Kirche ist hier dem Pilgerpatron Jakobus geweiht.

In der Folge benützen wir die LA 10, die mit einem Radweg ausgestattet ist, gegen Westen und kommen so nach Unterröhrenbach. Wir biegen dann nach links in die L 22 ein, anschließend nach einem kurzen Straßenstück in Oberröhrenbach nach rechts in eine Asphaltstraße, die uns, nachdem wir uns bei einer Kreuzung nach rechts gehalten haben, nach Oberwattenbach führt. Am nördlichen Ortsrand geht es nach links in eine Straße mit dem Zielpunkt **Unterunsbach** *(Übernachtungsmöglichkeit Gasthaus Johannesstuben, Tel. 0049/(0)8703/924590)*. Der Ort liegt an der B 15, das ist die Bundesstraße von Landshut nach Regensburg mit entsprechend starkem Verkehr. Wir folgen dieser in Richtung Süden, zum Glück ist sie mit einem Radweg versehen. Von der Anhöhe grüßt etwas später die Kirche St. Wolfgang bei Essenbach. Viele zünftige Wolfgangpilger werden es nicht versäumen, ihr einen Besuch abzustatten, zumal der Umweg nicht allzu groß ist: Vom Radweg der B 15 zweigt ein Feldweg ab, der direkt zum Gotteshaus hinaufführt. Von der Wolfgangkirche geht der Weg geradewegs hinunter nach **Essenbach.**

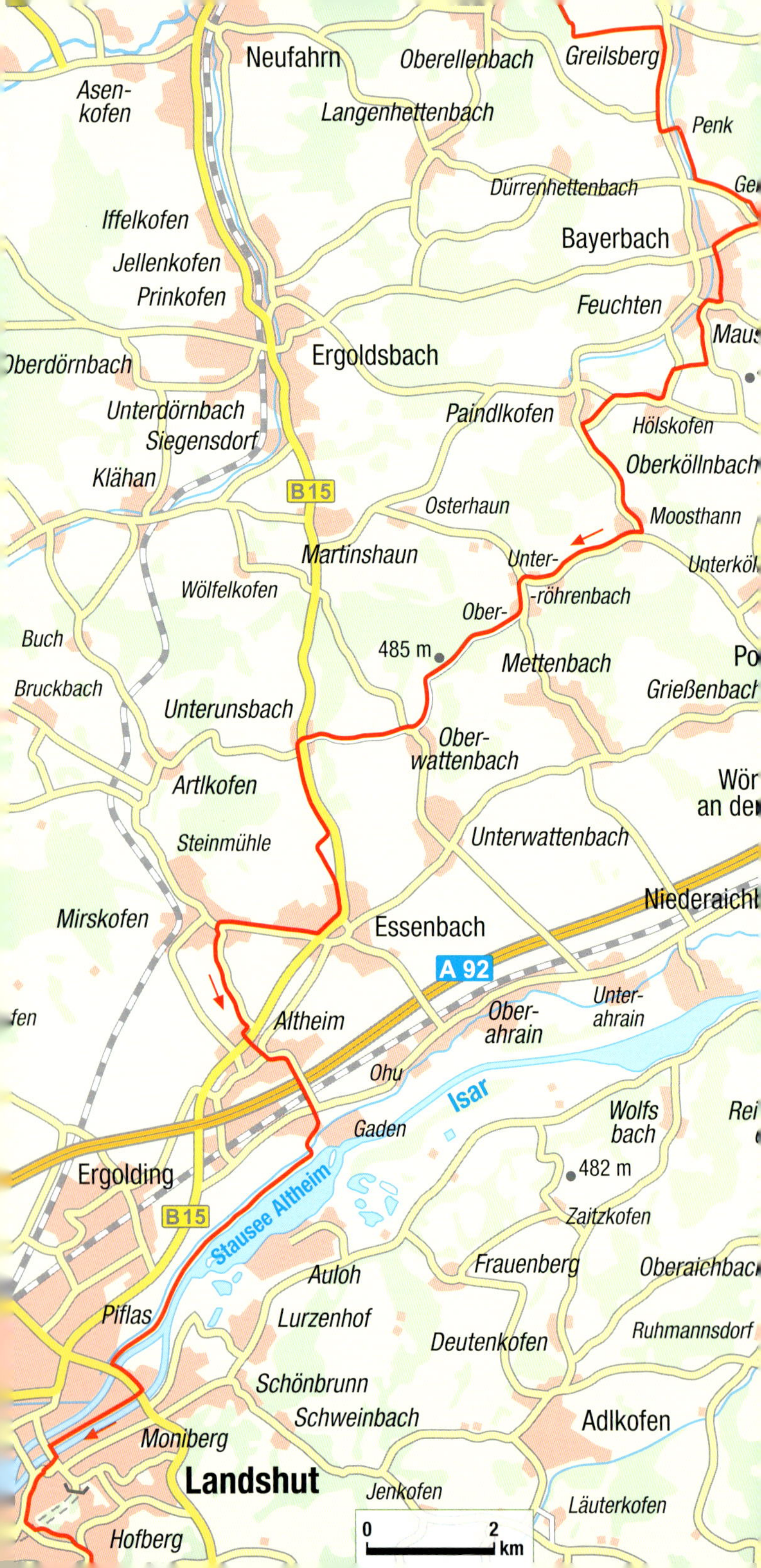

Neufahrn
Oberellenbach
Greilsberg
Asen-
kofen
Langenhettenbach
Penk
Dürrenhettenbach
Iffelkofen
Bayerbach
Jellenkofen
Prinkofen
Feuchten
Ergoldsbach
Unterdörnbach
Paindlkofen
Hölskofen
Siegensdorf
Oberköllnbach
Klähan
B 15
Osterhaun
Moosthann
Martinshaun
Unter-
-röhrenbach
Wölfelkofen
Ober-
Buch
485 m
Mettenbach
Bruckbach
Unterunsbach
Ober-
wattenbach
Artlkofen
Steinmühle
Unterwattenbach
Mirskofen
Essenbach
A 92
Unter-
ahrain
Altheim
Ober-
ahrain
Ohu
Isar
Wolfs
bach
Gaden
Ergolding
482 m
Stausee Altheim
B 15
Zaitzkofen
Auloh
Frauenberg
Piflas
Lurzenhof
Deutenkofen
Ruhmannsdorf
Schönbrunn
Schweinbach
Adlkofen
Moniberg
Landshut
Jenkofen
Läuterkofen
Hofberg
0
2
km

St. Wolfgang bei Essenbach

Der Weg hinauf lohnt sich für den Wolfgangpilger sowieso, obwohl die Kirche nur am Sonntagnachmittag nicht versperrt ist. Man überblickt von oben das mittlere Isartal unterhalb von Landshut. Einzig der einigermaßen bedrohliche Anblick des Reaktors des Atomkraftwerkes Ohu fällt unangenehm auf. Hier steht man an einem strategisch wichtigen Punkt, über den schon früh, vielleicht schon zur Römerzeit, eine Straße führte. Die Legende berichtet denn auch, der heilige Wolfgang habe auf seiner Reise an den Wolfgangsee hier gerastet. Es handelt sich um ein freundliches Kirchlein, die Überraschung ist das Innere, das zur Gänze mit interessanten gotischen Fresken bemalt ist. Eine figürliche Darstellung des heiligen Wolfgang findet man nicht. Da von der Ausstattung der einsam gelegenen Kirche einiges gestohlen wurde, bewahrt man heute seine Statue sicher auf. Wohl aber kommt er auf den Fresken vor.

2. Teilstrecke des Tages:
Essenbach–Landshut 14 km, ca. 3½ Stunden

Von Essenbach führt der Straßenzug Landshuter Straße (B 15) – Mirskofener Straße (LA 7) – Schlossstraße ins Zentrum von **Mirskofen** *(Landhotel Luginger mit Übernachtung, Tel. 0049/(0)8703/93300)*. Dort biegt man nach links in die Untere Sendlbachstraße (LA 6) ein und folgt dieser dann bis **Altheim**. Alle genannten Straßen sind übrigens mit Radwegen ausgestattet. Kurz bevor die LA 6 neuerlich auf die breite und verkehrsreiche B 15 stößt, zweigt man nach rechts in den Andreasweg ab.

Andreasklause

Hier wartet ein erlesener Kunstgenuss, vorausgesetzt die Klause ist auch geöffnet. Die kleine Kirche, landestypisch aus unverputzten Backsteinen erbaut, ist im Inneren über und über mit prächtigen gotischen Fresken bemalt. Im Chor sieht man Christus inmitten der Evangelistensymbole, im Langhaus die Lebensgeschichte des Heilandes, wobei etwa die drei Darstellungen der Versuchung links vorne ins Auge fallen. Der Teufel tritt jedes Mal in einer anderen grotesken Gestalt auf. Auch interessante Votivbilder findet man. Übrigens ist auch die Kirche von Altheim, an der wir bei der Ortsdurchfahrt vorbeikommen, aufgrund ihrer reichen Ausstattung sehenswert.

Man folgt dem Andreasweg und biegt links in die Einsiedelstraße ein, wobei man unter der B 15 durchgeht, und wandert geradewegs durch die Ortschaft Altheim, zunächst auf der

Einsiedelstraße, dann auf der Dorfstraße. Letztere dreht sich nach der Kirche etwas und geht dann in die Ohuer Straße über, auf der man in der Folge die Autobahn überquert und zur St 2074 gelangt. Nach der Überquerung dieser Straße bleibt man geradeaus auf der Kraftwerkstraße und schwenkt dann, nachdem man die rechts befindlichen Gewerbebetriebe passiert hat, nach rechts in eine kleine Straße ein, der man bis zum Isarstausee folgt.

Nun geht es nach rechts weiter, immer entlang des Stausees und der Isar, in die Stadt **Landshut** hinein, die von hier nicht mehr zu verfehlen ist, vor allem, wenn man sich an dem außerordentlich hohen Kirchturm der Stadtpfarrkirche St. Martin orientiert.

Landshut

Landshut, mit 63.000 Einwohnern die größte Stadt auf der ganzen Pilgerroute, wurde erst 1204 offiziell gegründet, obwohl der Stadtbereich schon lange zuvor besiedelt gewesen war. Ihre Blüte erreichte die Stadt im Spätmittelalter, als eine Linie des Hauses Wittelsbach, die „Reichen Herzöge" von Bayern-Landshut, hier residierte. Die bedeutendsten Bauwerke der Stadt gehen auf diese Zeit zurück, allen voran die gotische Kirche St. Martin mit einem der höchsten Kirchtürme der Welt, ein wahrer Dom aus Backsteinen, das Hauptwerk des berühmten Hans von Burghausen. Sie steht inmitten einer „Altstadt" genannten Straße, die in ihrer ganzen Länge, rechts und links, von einem Ensemble prachtvoller Bürgerhäuser gesäumt wird. Dabei sticht die auch in ihrem Inneren sehenswerte „Stadtresidenz" hervor, ein italienischer Renaissancepalast auf deutschem Boden. Den wirksamen Abschluss der Straße bildet die Heilig-Geist-Kirche, ein besonders schöner Bau des Hans von Burghausen, der heute für Ausstellungszwecke genutzt wird. Es gibt auch eine „Neustadt", gleichfalls ein mit alten Häusern eingefasster, langer Straßenplatz, mit sehenswerten Kirchen ausgestattet, darunter die Pilgerkirche St. Jodok. Über der Stadt thront die Burg Trausnitz, der Sitz der Herzöge, auch sie mit interessanter Innenausstattung.

Günstige Nächtigungsmöglichkeiten bieten das Hotel Park-Café, Papiererstraße 36 (Tel. 0049/(0)871/974000) und Hotel Pension Luitpold, Luitpoldstraße 43 (Tel. 0049/(0)871/9658680). Die Luitpoldstraße ist die große Straße, die zum Bahnhof führt, die Papiererstraße verläuft nördlich ungefähr parallel zu ihr.

Die Martinskirche von Landshut mit dem höchsten Backsteinturm der Welt (fast 131 Meter)

PALLAS

ETAPPE 4

Von Landshut nach Vilsbiburg

25 km

Der Beginn des Weges ist recht angenehm. Ab Götzdorf muss der Wanderer allerdings bis Geisenhausen die Straße benützen, ebenso geht er von Geisenhausen bis Vilsbiburg eher auf langweiligen Asphaltstrecken. Es empfiehlt sich, in Vilsbiburg wegen des Quartiers anzurufen. Sollte man nicht unterkommen, müsste man in Geisenhausen bleiben und die nächste Etappe länger gestalten.

1. Teilstrecke des Tages:
Landshut–Geisenhausen 14 km, ca. 2½ Stunden

Der einfachste Weg, **Landshut** zu verlassen, führt über die Alte Bergstraße. Wendet man sich von der Martinskirche gegen Süden, dann handelt es sich um die nächste Straße, die nach links abzweigt. Die Alte Bergstraße stellte früher den Zugang zur Burg Trausnitz dar, setzt sich in der Straße mit der Bezeichnung „Graben" fort und erreicht beim „Adelmann-Schloss" die Höhe. Ihre Fortsetzung ist die Adelmannstraße, von der man bei der nächsten Kreuzung nach rechts in die „Weickmannshöhe" einschwenkt. Von ihr zweigt kurz darauf, wiederum nach rechts, der Bründlweg ab, der steil bergab leitet. Man steht dann vor der Bründlkirche, einem idyllischen barocken Bau.

Bründlkirche

Eine Legende gibt es von diesem Gnadenort nicht. Er entstand einfach dadurch, dass 1661 ein Landshuter Handwerksmeister bei der dortigen Quelle ein Maria-Hilf-Bild aufstellte. Der zuständige Pfarrer errichtete eine hölzerne Kapelle, sie wurde bald bekannt, nicht nur durch wunderbare Heilungen, sondern auch weil sich schon 1663 der Kurfürst persönlich hier einfand. Der schlichte Raum wirkt durch seine geschmackvolle barocke Ausstattung ansprechend. Das Wasser aus dem Bründl ist allerdings kein Trinkwasser mehr und, wie eine Tafel meldet, nicht einmal zur Körperhygiene geeignet.

Der Weg führt weiter über die Wiesen zu dem besonders hübschen Weiler **Salzdorf** mit einer archaisch anmutenden Backsteinkirche. Man geht gegenüber dieser Kirche weiter und gelangt zu dem auf einer Anhöhe liegenden **Berndorf** mit einem ebenfalls aus Ziegeln erbauten Gotteshaus. Vor der Kirche schlägt man den Feldweg links ein, er führt zu einem Wald. Bei der Kreuzung im Wald hält man sich rechts und kommt gegen Höhenberg. In diesen Weiler geht man aber nicht hinein, sondern links von den Häusern weg. Man gelangt zur LA 21 und folgt dieser nach rechts, nach **Götzdorf.** Von dort muss man allerdings nach links auf die LA 30, welche leider ohne Radweg ist. Der Endpunkt ist **Geisenhausen** mit seinem markanten Kirchturm in Ziegelbauweise.

Geisenhausen

Geisenhausen ist ein stattlicher Markt mit etlichen Gasthausbetrieben (auch Übernachtungsmöglichkeiten: z. B. Pension Geno, Hauptstraße 26 B, Tel. 0049/(0)08743/966878). Im Mittelpunkt steht die Kirche St. Martin, ein schöner gotischer Ziegelbau des berühmten Baumeisters Hans Krumenauer, daneben wäre die Wallfahrtskirche St. Theobald besuchenswert, doch ist sie leider meist geschlossen.

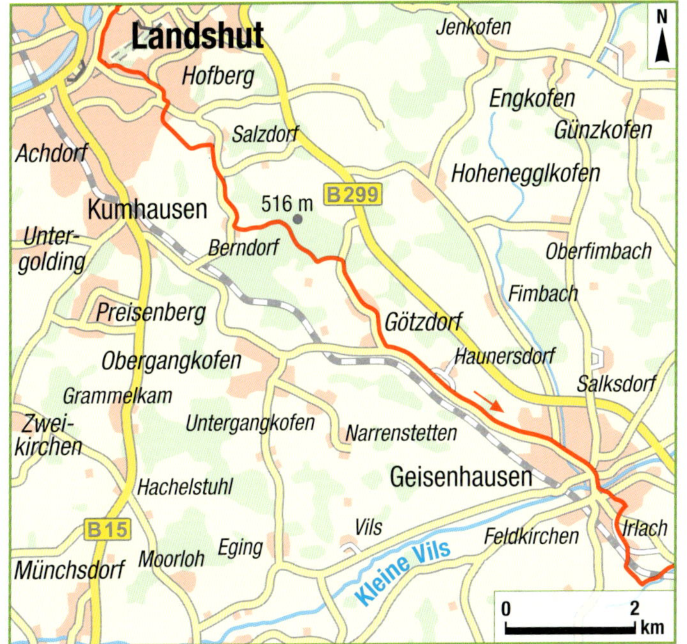

Geisenhausen ist ein idealer Ort für eine angenehme Rast zwischen Landshut und Vilsbiburg.

2. Teilstrecke des Tages:
Geisenhausen–Vilsbiburg 11 km, ca. 3 Stunden

Von eben jener Theobaldskirche, zu der man gelangt, wenn man am Ende der Marktstraße die linke Straße nimmt, führt unser Weg weiter. Die Kirche ist zu umrunden, man folgt der Korbinianstraße und dann der Sebastianstraße. Links leitet die Heckenstraße weiter nach Irlach, wo man über die Schienen gehen muss. Über einen Feldweg links geht es nach Oberrettenbach. Am Ende des Weilers überquert man wieder die Bahn und nimmt die rechte Straße, der man etwa einen halben Kilometer bis zur Abzweigung nach Höhenberg folgt. Man erreicht diesen Weiler nach einem längeren Marsch auf der Asphaltstraße, von dort geht es weiter zur B 299. Unmittelbar vor der Einmündung zweigt nach rechts eine Sackgasse ab (dementsprechendes Schild), die in der Folge in einen Flurweg übergeht und in einen Komplex von Kreuzungen (Bahn, Bundesstraße, Flurwege) mündet. Man geht über Straße und Bahn und nimmt den Radweg, der, beginnend unter der Straßenbrücke, in Richtung Süden, also in Richtung Vilsbiburg, leitet. Er führt dann neben der Straße an diversen Betriebsgebäuden, vornehmlich Autohäusern und -werkstätten, vorbei in die Stadt **Vilsbiburg** hinein.

Vilsbiburg

Vilsbiburg ist eine Stadt mit ungefähr 11.500 Einwohnern. Recht eindrucksvoll ist der Stadtplatz, der oben durch die malerische Baugruppe des Stadttores und des ehemaligen Spitals abgeschlossen wird. Die etwas außerhalb gelegene Stadtpfarrkirche ist einer der vielen Backsteinbauten, welche diese Gegend auszeichnen.

Um die Quartiere ist es in Vilsbiburg schlecht bestellt, man findet aber im Café Gabriel, das ein paar Fremdenzimmer hat, eine sehr freundliche Unterkunft mit gutem Restaurant (Tel. 0049/(0)8741/924613; erreichbar durch eine enge Gasse im unteren Bereich des Stadtplatzes).

ETAPPE 5

Von Vilsbiburg nach Neumarkt-St. Veit

22 km, 5½ Stunden

Die Etappe beginnt mit dem Besuch des Wallfahrtsortes Mariahilf oberhalb von Vilsbiburg. Sie führt dann vom Tal der Vils in jenes der Rott und ist nicht allzu anstrengend. Man kann an ihrem Ende noch in aller Ruhe das sehenswerte Kloster St. Veit besuchen.

Südlich des Stadtplatzes von Vilsbiburg findet sich die Brücke über die Vils; es folgt die Untere Stadt. Nach der dortigen Kreuzung steigt das Gelände an. Man muss dann nicht die Straße entlanggehen, sondern kann über den Mariahilfkirchweg und die rechts davon gelegene Krankenhausstraße zur nicht zu übersehenden Maria-Hilf-Kirche gelangen.

Maria-Hilf-Kirche

Die Angst vor einem Vordringen der Türken erfasste im 16. und 17. Jahrhundert das Volk bis weit nach Bayern hinein. Umso mehr war man erleichtert, als der „Erbfeind“ 1683 vor Wien entscheidend geschlagen wurde. Ein aus Italien stammender, in Vilsbiburg lebender Kaminkehrer namens Donato Barnaba Orelli entschloss sich, zum Dank eine Kapelle zu errichten. Der Bau, der bald zu einer frequentierten Wallfahrt wurde, erlebte mehrere Erweiterungen, einmal auch von dem bekannten Baumeister Zuccalli, aber ebenso seine Zerstörung. Erst im 19. Jahrhundert entstand die heutige Kirche. Im Gegensatz zu der etwas nüchternen Fassade ist das Innere freundlich und mit der alten barocken Ausstattung versehen. Auffällig sind die vielen Votivbilder. In der Kirche ist der 1924 im Ruf der Heiligkeit verstorbene Kapuzinerpater Viktrizius Weiß begraben, an den beim äußeren Aufgang ein Denkmal erinnert. Betreut wird das Gotteshaus vom Orden der Salesianer.

Der weitere Weg führt nach Osten. Man geht ein paar Schritte auf der B 299 und zweigt dann nach links ab, dann rechts und wieder links zwischen Schrebergärten ins Tal. Dort wird der Pilger von einem Schild „Pilgerweg nach Altötting“ überrascht, das sich in der unmittelbaren Folge noch zweimal wiederholt, dann aber leider nie mehr. Rechts benützt man die Saliterstraße und folgt ihr bis zu einer Feldstraße. Man sieht dann einen alleinstehenden Ahornbaum, auf den man zusteuert. Eine Betonstraße führt, immer in südöstlicher Richtung, über Kleingrub zu einer Anhöhe und trifft dann oben auf eine weitere betonierte Straße. Es geht in der Folge am Weiler Hinteröd vorbei hinab zum Ort **Aich.**

Von der Kirche geht man zunächst nach links, dann nach rechts in Richtung Treidlkofen. Am Ortsende sieht man rechts eine Birkenallee, in diese schwenkt man ein und umrundet in der Folge die Ortschaft Aich bis zur B 299, die man überquert, worauf man in Richtung Möslreith und Willaberg weiterwan-

dert. Oben in Willaberg findet sich ein großer Einkehrgasthof mit der Spezialität „Soccergolf", das ist eine Art Golfspiel, bei dem der Ball nicht mit dem Schläger, sondern mit dem Fuß befördert wird.

Von Willaberg geht es bergab nach Hainzing und dann nach rechts nach Michlbach, einem kleinen Dorf mit einer alten Kirche. Man überschreitet dort die Geleise und durchwandert den langgestreckten Ort in Richtung Westen. Bei den allerletzten Häusern zweigt nach links eine kleine Straße nach Grienzing

ab. Diese führt zuerst hinauf, anschließend durch den Wald und schließlich so lange am Waldrand entlang, bis nach rund 70 m die Straße nach rechts zur Ortschaft **Harpolden** hinabführt. Ab Harpolden muss man die allerdings nicht sehr verkehrsreiche Straße MÜ 3 benützen, und zwar auf einer Länge von ungefähr 5 km bis **Teising**, wo die „Teisinger Berg" genannte Straße geradeaus auf die Anhöhe führt. Von hier geht es auf der Teisinger Straße geradeaus nach **Neumarkt-St. Veit** hinein, unserem nächsten Etappenziel.
Unter dem Teisinger Berg liegt ein schönes Wasserschloss, oben findet man die Kirche Maria Einsiedel. Den Bau derselben gelobte ein Graf, nachdem seine Gattin in der Schweiz schwer erkrankt war. Sie ist im Inneren recht eigenartig aus zwei Räumen zusammengesetzt, jedoch ein überaus reizvoller Bau, in dem auch die vielen Votivbilder auffallen. Davor steht eine weite Rundkapelle, „Heilig-Grab-Kapelle" genannt, mit einer Statue des leidenden Christus.

Neumarkt-St. Veit

Der Ort bestand früher aus zwei Teilen: Neumarkt an der Rott und Wolfsberg-St. Veit, die sich 1934 zusammenschlossen. Der von Norden kommende Pilger betritt zuerst Neumarkt mit seinem langgestreckten, durch zwei Tore abgeschlossenen Stadtplatz, auf dem die gotische Johanneskirche steht. Sie weist einen guten Bestand an gotischen Figuren auf. In St. Veit jenseits des Rott-Flusses erhebt sich ein ausgedehntes Kloster, heute Altersheim, mit einer großen Kirche, die ebenfalls reich an gotischen Kunstwerken ist. In unserem Zusammenhang sei auf einen heiligen Wolfgang verwiesen, der oben auf einem gotischen Flügelaltar sitzt, zu seinen Füßen ist die Kirche von St. Wolfgang angedeutet. Eindrucksvoll ist auch das überlebensgroße Kruzifix.

Ordentliches Quartier gibt es im Hotel Post am Stadtplatz (Tel. 0049/(0)8639/9889-0).

Die Johanneskirche am Marktplatz von Neumarkt-St. Veit

ETAPPE 6

Von Neumarkt-St. Veit nach Altötting

29 km

Bis Altötting hat der Pilger noch manche Prüfung zu bestehen. Der Weg verläuft anfangs recht freundlich, führt aber dann auf Asphaltstraßen über mehrere Anhöhen, bis er in das Gebiet des Inn hinuntersteigt, ein weites, ebenes Land, das noch ein gutes Stück zu durchwandern ist, bis man Altötting erreicht. Dieses stellt natürlich die wichtigste Zwischenstation dar für all jene, die den ganzen Pilgerweg gehen.

1. Teilstrecke des Tages:
Neumarkt-St. Veit–Engfurt 18 Km, ca. 4½ Stunden

Am unteren Ende des Stadtplatzes von Neumarkt-St. Veit überquert man den Fluss Rott und wendet sich nach der Brücke nach links zum Mühlenweg. Der Kirchenweg steigt dann zur Klosterkirche hinauf. Die Bundesstraße B 299 führt an dem Kloster- und Altersheimkomplex vorbei. Man überschreitet sie oben in Richtung der zum Friedhof führenden Straße. Gleich an deren Beginn zweigt nach links ein Feldweg ab, in den man einbiegt. Er führt in der Folge als Wanderweg durch die Fluren, ist nach dem auf der linken Seite gelegenen Weiler Scheuer mit Informationstafeln über die Naturgegebenheiten ausgestattet und kommt schließlich an zwei Kapellen vorbei. Neben diesen stehen Kreuze, die an eine Schlacht erinnern, welche 1809 die mit Napoleon verbündeten Bayern gegen Österreich verloren. Das ziemlich unbedeutende Gefecht wird in den patriotischen Inschriften (auch am Kriegerdenkmal von Neumarkt-St. Veit) zu einem Ereignis hochstilisiert, das für die Unabhängigkeit des Landes entscheidend war.

Bei einer Kreuzung nimmt man die linke Straße, geht den Waldrand entlang und ein Stück in den Wald hinein. Man trifft auf einen Baum, der mit einem roten Pfeil bezeichnet ist. Er weist in die richtige Richtung, nämlich zu den Bauernhäusern von Unterscherm. Unmittelbar vor dem ersten dieser Häuser

zweigt links ein Feldweg ab, dem man folgt. Oberhalb der nächsten Häuser geht es wieder nach links und dann zu der Straße, die nach **Niedertaufkirchen** führt. Der Ort liegt etwas erhöht, wenn man unten an der Straße weitergeht, ohne zum Dorf hinaufzuwandern, ist dies keine Abkürzung.

Niedertaufkirchen

Niedertaufkirchen ist ein ländlicher Ort in hübscher Lage. Die Kirche, ein gefälliger Barockbau, wurde dem heiligen Martin geweiht. Nächtigungsmöglichkeit im Gasthaus Söll (in der Nähe der Kirche, Tel. 0049/(0)8639/227). Dort übernachten nach Auskunft der Wirtsleute öfters Pilger, die nach „Eding" (= Altötting) wollen.

Am Ortsende von Niedertaufkirchen, das man über die Hauptstraße erreicht, zweigt nach rechts die Straße nach Wipping, Hofern und Stetten ab. Man geht geradeaus weiter bis zur Abzweigung Hohenbuchbach und nimmt die links zu diesem Weiler führende Straße.
Im Wald hinter Hohenbuchbach geht es dann rechts in spitzem Winkel hinunter zu einer Straße, die zum Weiler Hütting führt. Anschließend geht es nach links in das Tal eines Baches mit dem umständlichen Namen Johannesbuchbacher Bach. Von dort sieht man bereits den Ort **Pleiskirchen**, zu dem ein Wiesenweg pfeilgerade hinaufführt.
Oben angekommen, fällt dem Besucher als Erstes gegenüber der Schule ein burgartig gestaltetes Spielgelände auf. Interessant ist, dass in der Kirche von Pleiskirchen die Eltern des ehemaligen Papstes Benedikt XVI. geheiratet haben, da der Vater hier eine Zeitlang als Gendarm stationiert war, bevor er schließlich nach Marktl versetzt wurde. Josephs Bruder Georg Ratzinger wurde noch hier geboren. Im Ort gibt es gute Gastronomie und auch eine empfehlenswerte Übernachtungsmöglichkeit in der Pension Schneider (Schlossstraße 2, Tel. 0049/(0)8635/374).
Von Pleiskirchen führt der Weg, ausgehend vom „Huberwirt", hinab nach Süden. Dort, wo die Straße vor der Ortschaft Walding nach einer Linkskurve wieder zu steigen beginnt, wandern wir geradeaus (Wegweiser nach Töging). Nach Kaining gehen wir ein Stück auf der AO 2, in die wir nach links einbiegen. Es folgt eine lange Mauer, und in der Folge beginnt ein Kreuzweg, der zu einem markanten Punkt der Pilgerfahrt leitet, zur Klause Engfurt.

Klause Engfurt

Die Klause in einer idyllischen Flussschleife wurde im Jahr 1718 vom dortigen Müller errichtet. Ihre Kapelle weist einen schönen Rokoko-Altar und etliche Votivbilder auf. Unter einem Dach mit der Kapelle befindet sich das Eremitenhaus. Die Wohnung darin kann gemietet werden von Personen, die „auf Zeit" in der Abgeschiedenheit leben wollen. Die Votivbilder beziehen sich auf eine Statue des leidenden Christus in einer Kapelle nahe der Klause. Man erreicht sie in 5 Minuten über einen Steig, der hinter der Kirche beginnt.

In Engfurt wurde von der Eigentümerin der Mühle, Frau Mariele Vogl-Reichenspurner, ein Pilgerweg geschaffen, der mit verschiedenen meditativen Stationen 14 km weit nach Altötting führt. Eine Broschüre darüber ist in Engfurt erhältlich.

2. Teilstrecke des Tages:
Engfurt–Altötting 11 Km, ca. 3 Stunden

Vom Gasthof Engfurt gehen wir etwa 200 m auf der Straße, nehmen anschließend die Abzweigung nach links in Richtung Westerham. Die nächste Ortschaft heißt Aufham. Dort ist nach links einzubiegen und der Isenfluss zu überqueren. Wir wandern dann zwischen Berghang und Fluss dahin. Am Beginn von Winhöring heißt unser Weg „Am Weinberg". Er wendet sich nach rechts, führt zur Isenbrücke und schließlich ins Zentrum dieser Gemeinde.

Wer sich in Winhöring, einem größeren Ort mit gut 4000 Einwohnern, umsehen will, wird nicht enttäuscht werden. Die gotische Kirche zeichnet sich durch eine reiche barocke Ausstattung aus, es gibt daneben ein Schloss und einen sehenswerten Pfarrhof sowie die idyllische Kapelle einer ehemaligen Burg. Die an der Landshuter Straße gelegene Feldkirche geht auf das Gelübde eines Kaufmannes zurück, der bei einem Überfall um sein Leben fürchtete. Sie enthält eine gotische Madonna.

Wir schwenken ein Stück nach der Stadtpfarrkirche nach links in die Neuöttinger Straße ein und dann halblinks in die Steinhöringer Straße. Sie leitet geradeaus wiederum zur Isen, die noch einmal zu überqueren ist, denn wir benützen den ostseitigen Damm, um zum Inn zu gelangen. Auch dort folgen wir dem Damm, allerdings nur ein kurzes Stück, denn gleich folgt links die große Brücke, die uns direkt nach **Neuötting** führt. Den Turm der Stadtpfarrkirche konnten wir ja schon länger sehen.

Neuötting

Nachdem die Ungarn auf einem ihrer Feldzüge im Jahre 907 den alten Pfalzort Ötting niedergebrannt hatten, wurde nicht nur dieser kurz darauf wieder aufgebaut, sondern näher am Inn, auf einer leicht zu verteidigenden Hochterrasse auch der Ort Neuötting angelegt. Es entstand im Lauf der Zeit eine Stadt mit einem langen sehenswerten Stadtplatz von seltener Geschlossenheit. An seinem nördlichen Ende liegt die Stadtpfarrkirche St. Nikolaus, ein prächtiger gotischer Backsteinbau des großen Architekten Hans von Burghausen.

Wer noch nicht nach Altötting hineingehen oder in Neuötting eine Rast einlegen will, dem sei der Gasthof zur Krone am Stadtplatz empfohlen (Tel. 0049/(0)8671/2343). Die Wirtsleute pilgern seit langem jährlich zu Fuß nach St. Wolfgang.

Etwas südlich des Stadtplatzendes beim Kreisverkehr beginnt rechts die Altöttinger Straße. Dort, wo sie ihren Namen in Neuöttinger Straße wechselt, fängt die Stadt **Altötting** an, und es ist nicht mehr weit zum Kapellplatz. An der Grenze der beiden Städte zweigt nach rechts ein Weg ab, der sich als „Prälatenweg" fortsetzt und eine angenehmere Annäherung an das Zentrum bildet als die Straße.

Eine der vielen Kirchen von Altötting: die ehemalige Jesuitenkirche St. Magdalena

Altötting

Altötting ist bis heute einer der bedeutendsten Wallfahrtsorte der christlichen Welt. Hier befand sich bereits im 8. und 9. Jahrhundert ein Herrschersitz, eine Pfalz der ältesten bayerischen Herzöge und später der Karolinger. Das Oktogon der Gnadenkapelle soll noch aus dieser Zeit stammen (siehe Abbildung unten). Inwieweit man schon im Mittelalter hierher pilgerte, bleibt umstritten. 1489 ereigneten sich jedenfalls zwei äußerst aufsehenerregende Wunder, die ein geradezu explosionsartiges Einsetzen der Wallfahrt bewirkten. In späterer Folge wurde Altötting von den Fürsten aus dem Haus Wittelsbach stark gefördert, und es ist bis heute das „religiöse Herz Bayerns" geblieben.

Den erhebenden Andachtsraum der Alten Kapelle umgeben weitere bedeutsame Kirchenbauten: die doppeltürmige Stiftskirche mit einem Kreuzgang und mehreren Nebenkapellen sowie dem „Tod von Eding" (einer Figur des Sensenmannes, der im Takt der darunter befindlichen Uhr mäht), ferner die Jesuitenkirche, die neubarocke Basilika und die Kirche der Kapuziner, in welcher der heilige Konrad von Parzham ruht. Neues Gewicht bekam der ohnehin schon beliebte Wallfahrtsort durch das besondere Naheverhältnis zum ehemaligen Papst Benedikt XVI., der im 15 km entfernten Marktl geboren wurde.

Es gibt in Altötting, besonders rund um den Kapellplatz, derartig viele Quartiere, die für den Pilger geeignet sind, dass sich eine spezielle Empfehlung erübrigt. Allenfalls wende man sich an das Wallfahrts- und Tourismusbüro, Kapellplatz 2a (Tel. 0049/(0)8671/5062-19).
Übrigens findet man etwas westlich von Altötting bei der B 11 die nach einem Bauernhof benannte „Detterkapelle", die dem hl. Wolfgang geweiht ist. Das Altarbild zeigt die Wolfgangseelandschaft im Hintergrund.

Im beeindruckenden Umgang um die Gnadenkapelle von Altötting hängen hunderte Votivtafeln.

ETAPPE 7

Von Altötting nach Burghausen

17 km, ca. 4 Stunden

Vorgeschlagen wird hier eine kürzere Etappe, sodass der Pilger ausreichend Zeit für Altötting hat und dann auch noch Burghausen besichtigen kann.

Der Weg beginnt an der Südostecke des Kapellplatzes von Altötting beim Gockerlwirt. Dort setzt die Burghausener Straße an, der wir durch die Vororte folgen, bis bei einem größeren Kreisverkehr der Fußweg über eine Straßenbrücke geradeaus in den Öttinger Forst hineinführt. Es handelt sich um ein ausgedehntes Waldgebiet, das wir seiner ganzen Länge nach nahezu gerade durchqueren. Wichtig ist, dass wir bei der ersten

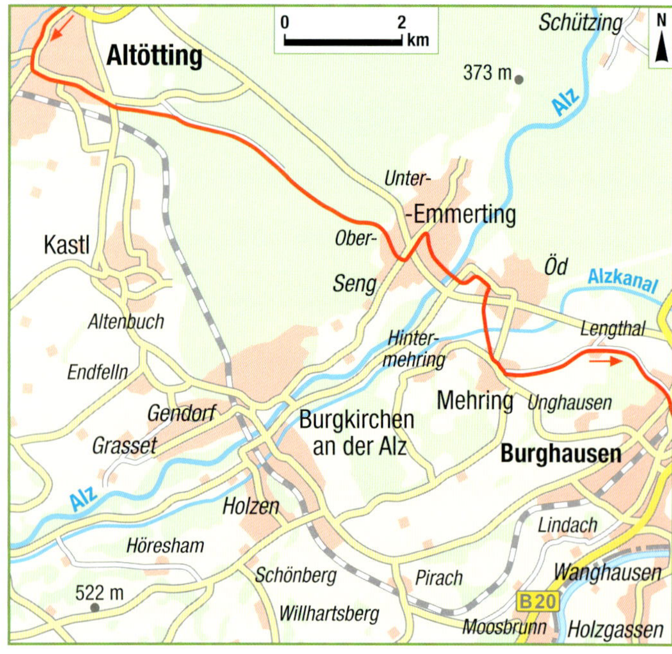

Die Altstadt von Burghausen zeichnet sich durch eine Reihe schöner Bürgerhäuser aus.

größeren Kreuzung im Wald halbrechts zur „Alten Poststraße“ einschwenken, sie leitet uns zum Ort **Emmerting**, wo der Wald endet, und mündet im Ort in die „Alte Dorfstraße“, der wir nach links folgen, bevor wir nach rechts in die Hauptstraße einbiegen. So gelangen wir zum Fluss Alz. Nach der Brücke wandern wir beim riesigen Gasthaus Schwarz zur Kirche von Hohenwart hinauf und wollen nicht versäumen, dort einen Blick auf die zierlichen Figuren des Flügelaltares zu werfen. Wir verlassen die Kirche und den romantischen Friedhof, schlagen den Weg nach rechts zu einer Allee und dann wieder nach rechts nach **Mehring** ein, wo wir auf den gut beschilderten „Benediktweg“ treffen, der uns über Lengthal und Badhöring nach Burghausen leitet. Dort gehen wir geradeaus über die Mehringer Straße in die Stadt und kommen an ihrem Ende nach einem kurzen Schwenk nach rechts zum Curaplatz, wo der Weg durch die Burg beginnt. Mit Genuss wandern wir durch die Höfe der langgestreckten Anlage, bis ganz hinten ein Steig in die Altstadt von **Burghausen** hinunter weist.

Burghausen

Die Stadtanlage von Burghausen ist einzigartig. Unten an der Salzach liegt, eingeklemmt zwischen Salzach und Burgberg, die Altstadt, ein malerisches Ensemble von wunderschönen Häusern, einem stattlichen Platz und verwunschenen Gassen sowie der imposanten Stadtpfarrkirche St. Jakob.

Darüber dehnt sich die längste Burg Deutschlands aus, die den von Landshut her bekannten „Reichen Herzögen" gehörte. Durch eine unendlich scheinende Reihe von Höfen gelangt man zur eigentlichen Burg mit interessanter Geschichte und musealer Ausstattung. Hinter der Burg, auf der Schotterterrasse, entstand im 20. Jahrhundert die Neustadt, die viel Industrie aufweist.

Die Gastronomie der Altstadt ist gepflegt, aber nicht gerade preisgünstig. Nachdrücklich empfohlen sei aber das „Haus der Begegnung", eine kirchliche Einrichtung in der Spitalgasse am Ende der Gasse „In der Grüben" (das ist die südliche Fortsetzung des Stadtplatzes). Telefonische Anmeldung ist unbedingt erforderlich, wobei man auch wichtige Informationen (z. B. über Schließzeiten etc.) erfährt (Tel. 0049/(0)941/949293). Günstige Quartiere findet man auch am österreichischen Ufer der Salzach, in Ach (siehe unten!).

In Burghausen führt der Weg durch eine lange Reihe malerischer Burghöfe.

ETAPPE 8

Von Burghausen nach Mattighofen

33 km

Diese Etappe geht wieder ordentlich in die Knie. Leider muss man auch einmal eine Stunde lang auf einer ziemlich geraden Asphaltstraße wandern. Es geht durch das südliche Innviertel, ein freundliches Bauernland. In der Ferne nimmt man immer deutlicher die Berge wahr. Ein kleiner Umweg führt zu der interessanten Wallfahrtskirche Hart bei Pischelsdorf. Da in Mattighofen die Quartiere rar sind, empfiehlt es sich, beizeiten anzurufen und, wenn nichts frei ist, einen der Orte davor oder danach ins Auge zu fassen.

1. Teilstrecke des Tages:
Burghausen–Gilgenberg 12 km, ca. 3 Stunden

Vom Stadtplatz von Burghausen zweigt nach Westen die Gasse ab, die zur Landesgrenze, der Salzachbrücke, und damit nach Österreich führt.

Ein kurzer Abstecher ist zu empfehlen: Geht man ungefähr einen Kilometer salzachaufwärts, dann kommt man in der Ortschaft Wanghausen zur sehenswerten Kirche von Ach, zu der nachweislich bereits im 13. Jahrhundert eine Wallfahrt existierte. Daneben ist ein Brunnen, den man schon damals als heilsam kannte, weil er im Epos „Meier Helmbrecht", dem ersten Bauernepos, genannt wurde. Beachten wird man auch den schönen Blick auf Burghausen und das nahe Schloss Wanghausen. Hier beginnt der landschaftlich schöne „Meier-Helmbrecht-Weg", der ebenfalls nach Hochburg führt, allerdings mit etlichen Schleifen und Umwegen.

Erwähnt seien drei Zimmervermieter in Ach: Gasthaus Jungwirt, Wanghausen 26 (Tel. 0043/(0)7727/2308, schöne Lage!), Ludwig Frauenberger, Wanghausen 1 (Tel. 0043/(0)7727/2286) und Brigitte Grillenberger, Duttendorf 12 (Tel. 0043/(0)7727/3151).

Folgt man dem Weg nach Hochburg, dann wendet man sich nach der Brücke kurz salzachabwärts und biegt anschließend in den Radweg ab, der steil auf die Höhe führt. Man trifft auf die Autostraße, geht auf ihr hinauf und überquert bei der Tankstelle die L 501 in gerader Richtung. Bei der nächsten Kreuzung geht es geradeaus in den Radweg R 25 hinein. Man bleibt auf diesem, kommt durch Dorfen und hält sich dort, den Radweg verlassend, halbrechts. Auf Höhe des an der Straße gelegenen Weilers Lindach biegt die Straße neuerlich nach rechts ab, man bleibt aber auf einem Feldweg, der weiter geradeaus verläuft. Durch die Ortschaft Mitterndorf gelangt man zur LA 503 und wandert auf ihr die nur mehr kurze Strecke nach Hochburg. Während des Weges hat man den hohen Turm der dortigen Kirche im Blickfeld, sodass man sich nicht verlaufen kann.

Hochburg

Hochburg ist ein malerisches Dorf, das sich als Geburtsort von Franz Xaver Gruber, dem Komponisten des Liedes „Stille Nacht, heilige Nacht" einen Namen gemacht hat. Sehenswert ist die Kirche mit ihrem mächtigen Turm. Daneben steht das Schloss der Freiherren von Castell. Eine stilvolle Innviertler Gaststätte ist der Stiftgasthof (Zimmervermietung Tel. 0043/(0)7727/35001).

Will man in der Folge nicht die Straße entlanggehen, dann ist es ratsam, ab Hochburg nun doch den Meier-Helmbrecht-Weg nach Gilgenberg einzuschlagen. Er ist zwar auch hier etwas weiter, aber landschaftlich nicht ohne Reiz. Man stößt immer wieder auf Informationstafeln, die über das mittelalterliche Epos von Meier Helmbrecht informieren. Der gut beschilderte Weg führt zur Antoniuskapelle im Weilhartforst, der die Landschaft bestimmt, und dann in das stille Bitzltal, bis etwas erhöht die Kirche von **Gilgenberg** auftaucht. Auch diese ist besuchenswert. Erwähnt sei darüber hinaus der Gasthof Scharinger Hof (auch Zimmervermietung, Tel. 0043/(0)7728/8005).

2. Teilstrecke des Tages:
Gilgenberg–Mattighofen 21 km, ca. 5½ Stunden

Leider bleibt einem nach Gilgenberg nichts anderes übrig, als gut vier Kilometer auf der Straße L 1029, die leider nicht einmal einen Radweg hat, in Richtung Handenberg dahinzuwandern. Einen Kilometer vor Handenberg zweigt nach rechts die Straße nach **St. Georgen am Fillmannsbach** ab. Wenn man diesen Weg einschlägt und in der Folge die stark befahrene

Lamprechtshausener Bundesstraße in gerader Richtung überquert hat, erreicht man die L 1032, in die man nach rechts abbiegt. Direkt geradeaus ginge es zur Kirche von St. Georgen, einem interessanten Bau aus unverputztem Konglomeratgestein.

Wir müssen jedoch auf der Straße bleiben und erreichen über die Weiler Scheuern – bis dorthin kann man auch links neben der L 1032 gehen – und Feichten die Ortschaft Steckenbach, wo wir nach links abzweigen. Die kleine Straße führt zuerst durch ein Waldstück bergauf und dann über Berg nach Großgollern. Wir halten uns dort rechts in Richtung Gschwendt. Auf dem letzten Stück des Weges ist schon von weitem der schlanke Kirchturm von Hart zu sehen. In Gschwendt geht es nach links. Der nächste Weiler heißt Wehrsdorf, er liegt unterhalb der Kirche von **Hart**, zu der der Radweg nun direkt hinaufführt.

Das Gotteshaus entstand dort, wo 1493 beim Streurechen eine zuvor in einer nahen Kirche gestohlene Hostie aufgefunden worden war. Es gibt viele solche Hostienkirchen, die meisten stammen aus dem hohen Mittelalter und die Missachtung des Altarsakramentes wurde fälschlicherweise häufig Juden zugeschrieben.

In Hart wird nichts dergleichen überliefert. Die Kirche ist absolut sehenswert, sie enthält nicht nur eine üppige barocke Einrichtung, sondern auch einen Bilderzyklus aus der Zeit um 1500, der die Geschehnisse um den Hostiendiebstahl schildert. Die Kirche ist normalerweise versperrt, den Schlüssel erhält man bei Frau Heinzl, Hart 15, das ist das zweite Haus in der Zeile an der Straße.

Von Hart folgt man der Straße, die nach Nordwesten in den Wald hinein und über eine kleine Anhöhe hinunterführt. Im Anschluss erreicht man **Pischelsdorf**.

Pischelsdorf

In Pischelsdorf sollte man sich den Besuch der Kirche nicht entgehen lassen. Sie hat hinter dem Hochaltar einen regelrechten Chorumgang, wie er sonst nur in großen Kirchen vorkommt. Auf Grund der kunstvollen Ausführung nimmt man an, dass der Bau von Hans von Burghausen, dem Meister der Martinskirche von Landshut, stammt. In einer Nebenkapelle findet man eine Reihe von gotischen Fresken. Im Gasthof Preiser, Schmidham 4 (etwas westlich von Pischelsdorf, Tel. 0043/(0)7742/7059) gibt es eine Nächtigungsmöglichkeit.

Direkt unterhalb der Kirche biegt man nach rechts ab und folgt der Straße bis in die Nachbarortschaft Schmiedham, wo man nach links abzweigt in eine kleine Asphaltstraße, die über einen Hügel, an einem Golfplatz vorbei nach Unterlochen führt (Gasthaus zur Schmiede, Nächtigungsmöglichkeit, Tel. 0043/(0)7742/4668). In Unterlochen stößt man auf den Mattigtal-Radweg R 24, in den man nach rechts einbiegt. Wählt man **Mattighofen** als Etappenziel, dann muss man 2 km hinter Unterlochen an der Kreuzung mit der nach Burghausen führenden Landesstraße nach links abschwenken, die Mattig überqueren und entlang dieser Straße, die später den Namen Moosstraße annimmt, in die Stadt hineingehen.

Mattighofen

Mattighofen ist eine Stadt mit ungefähr 5600 Einwohnern. Ihre Ursprünge liegen in der Zeit der frühesten bayerischen Besiedlung. Im 15. Jahrhundert wurde hier ein Kollegiatsstift gegründet – eine Vereinigung von Weltpriestern unter einem Propst –, das bis heute besteht. Es entstand eine aufwendige Kirche mit prachtvollem Tor und Kreuzgang. Der Bedeutung des Ortes entspricht auch der langgestreckte Stadtplatz.

Mit Nächtigungsmöglichkeiten ist Mattighofen allerdings dürftig bestückt. Wenn man die erwähnte Moosstraße stadteinwärts geht, findet man im Haus Nr. 9, „Elfis Gästehaus", eine freundliche Unterkunft (Tel. 0043/(0)664/4132151), daneben liegt eine Pizzeria. Es gibt dann noch den Gasthof Mattigtaler Hof beim ziemlich entlegenen Bahnhof (Tel. 0043/(0)7742/2562).

In Mattighofen befindet sich ein altes Kollegiatstift, welches bereits im 15. Jahrhundert gegründet wurde.

ETAPPE 9

Von Mattighofen bis Straßwalchen

22 km, 5½ Stunden

Diese kurze Etappe führt durch das obere Mattigtal, wo zwei Stätten liegen, die mit dem heiligen Wolfgang verbunden sind: Valentinhaft und Teichstätt. Der Schafberg wird im Landschaftsbild immer dominanter, er zeigt an, dass der Pilger seinem Ziel schon recht nahe ist.

Von „Elfis Gästehaus", also von der Moosstraße, die am Stadtplatz von Mattighofen ansetzt, biegt man nach links (stadtauswärts gesehen) in die Ludwig-Vogl-Straße ein, der man bis zu ihrem Ende folgt, worauf als Fortsetzung rechts die Hofauerstraße beginnt, an deren Ende die „Schwarzgraben" genannte Straße nach links abzweigt (Vorsicht: „Schwarzgraben" heißt bereits vorher eine nach rechts abzweigende Straße, sie ist aber eine Sackgasse!) und in die Mattseer Straße mündet, die man nach rechts begeht bis zum Ort **Pfaffstätt**. Ginge man in den Ort hinein, dann fände man ein Haus, das mit Heerscharen von Gartenzwergen besetzt ist. So viele hat der Wanderer wahrscheinlich in seinem Leben noch nicht gesehen. Der Pilgerweg zweigt allerdings bereits am Ortsanfang von Pfaffstätt nach links in die mit „Munderfing" beschilderte Straße ab, die geradewegs in diesen Ort hineinführt.

Wer nicht nach Mattighofen hineingewandert ist, kann den Radweg R 24 bis Pfaffstätt benutzen, muss ihn aber in diesem Ort, nach links abzweigend, verlassen und geradeaus bis zur Abzweigung der Munderfinger Straße – in diesem Fall nach rechts – gehen.

Munderfing *(Nächtigungsmöglichkeit im Gasthaus Weiß, Tel. 0043/(0)7744/6251)* durchquert man auf der Bundesstraße, die mitten durch den Ort führt, bis man diese gegenüber dem Landgasthaus Graf nach rechts abzweigend verlässt. Man geht dort über die Brücke und unmittelbar nach dieser nach links. Anschließend folgt man zunächst dem Bach, wendet sich vor

Die Kirche von Valentinhaft erinnert an den heiligen Wolfgang, der sie einst besucht haben soll.

der Ortschaft Ach nach rechts, wandert durch diese und geht geradeaus auf Achenlohe zu. Von dort kommt man in südlicher Richtung nach **Valentinhaft**, muss aber zuvor bei einer Kreuzung mit einem Marterl nach links einschwenken.

Valentinhaft

Valentinhaft ist ein recht hübscher Weiler. Die Kirche ist, wie der Name sagt, dem heiligen Valentin geweiht. Der heilige Wolfgang soll auf der Durchreise den Wunsch gehabt haben, sie zu besuchen. Da sie aber versperrt war, griff er durch die Mauer durch und öffnete das Tor von innen. Das Loch ist rechts neben der Eingangstüre zu sehen. Die kleine Kirche weist eine gute barocke Ausstattung auf. Ein Gemälde berichtet von dem Wunder des heiligen Wolfgang. Leider ist das Gotteshaus meist versperrt.

Unterhalb der Kirche geht die Straße weiter, eventuell kann man in der Folge geradeaus am Waldrand dahingehen, man kommt jedenfalls zu einem Damm, dem man nach links folgt.

Man wandert in der Folge entlang der Eisenbahn nach rechts bis zur Kreuzung bei der Bahnhaltestelle und dem Gasthaus Ledl (außen Rotwildgehege, innen großes Süßwasseraquarium), überquert dort die Schienen und kommt so nach **Teichstätt.**

Dies ist an sich ein unbedeutender Weiler, jedoch auf unserem Pilgerweg von besonderer Bedeutung, weil eine vom heiligen Wolfgang ausgestellte Urkunde beweist, dass dieser sich einst hier aufgehalten hat. Die Ausfertigung jener Urkunde geschah aller Wahrscheinlichkeit nach in dem Schloss, das heute als Bauernhaus dient, aber sehr schön renoviert ist. Übernachten kann man übrigens in dem vorhin erwähnten Gasthof Ledl (Tel. 0043/(0)7746/2492).

Um zum „Schloss“ zu gelangen, muss man die Straße nach Heiligenstatt etwas vorgehen, es befindet sich dort oberhalb des Abhanges auf der linken Seite. Man kehrt anschließend zur Bahnkreuzung zurück und folgt nun wieder dem Bahngleis. Dieses muss man einmal überqueren, geht dann auf der anderen Seite weiter und kommt nach einiger Zeit zur Haltestelle **Lengau**. Von dort geht es in den Ort hinein.

Das Grab des „Riesen von Lengau“

Die Kirche von Lengau ist dem Pilgerpatron Jakobus geweiht. Bemerkenswert ist vor allem das außergewöhnlich lange Grab neben dem Eingang. Hier liegt der „Riese von Lengau“ bestattet, Franz Winkelmeier, der eine erstaunliche Größe von 2,58 Meter erreicht hat und in einem kurzen, unglücklichen Leben als Jahrmarktsattraktion in der Welt herumgeführt wurde.

Man verlässt Lengau in südlicher Richtung über die „Rosengarten“ genannte Straße, die auch als Radweg „Barocktour“ gekennzeichnet ist. In Roidwalchen, das bereits im Bundesland Salzburg liegt, schlägt man die nach links abzweigende Straße ein, die direkt nach Straßwalchen führt. Zuvor durchquert man aber noch das riesige Autolager einer Importfirma, auch ein Eindruck, der so manchem Wanderer im Gedächtnis bleibt. Die Roidwalchener Straße mündet in den Hauptplatz von **Straßwalchen**.

Straßwalchen

Straßwalchen ist der Grenzort des Landes Salzburg gegen Oberösterreich und hatte als Marktort schon immer große Bedeutung. In der Kirche findet man Statuen, die als Frühwerke des berühmten Bildhauers Meinrad Guggenbichler gelten. Etwas nördlich des Ortes, also nicht dort, wo wir durchgehen, befindet sich ein hauptsächlich für Kinder interessanter Erlebnispark. Günstiges Quartier gibt es im Gasthaus Lebzelter (Tel. 0043/(0)6215/6037).

ETAPPE 10

Von Straßwalchen nach Mondsee

20 km, ca. 5 Stunden

Wiederum eine Etappe der kürzeren Art; sie bereitet vor auf die Schlussetappe nach St. Wolfgang. Die Landschaft wird immer anziehender, die Berge links und rechts der Strecke werden höher, der Zellersee begleitet den Wanderer längere Zeit, es folgt der Mondsee. Der gleichnamige Ort war immer schon eine wichtige Station, bevor die Pilger St. Wolfgang erreichten.

Wir gehen auf dem Marktplatz von Straßwalchen in Richtung Süden und schwenken in die nach Mondsee führende Straße ein. Gleich darauf beginnt an der rechten Straßenseite der Radweg, dem wir bis ins Mondseeland folgen. Er ist tadellos ausgeschildert, sodass sich genaue Wegangaben erübrigen. Die Berge treten heran, zunächst sind es Hügel, aber auch der Schafberg tritt bereits mächtig ins Bild. Wir passieren zwei Ortschaften, deren Kirchen einen hohen Kunstgenuss bieten, **Irrsdorf** und **Oberhofen.** Zwischen den beiden Orten verläuft die

In Oberhofen beginnt der landschaftlich schönste Teil des Pilgerweges.

N
Ober-
Unter- Mitter-
-erb
Geretseck
Gaisteig
Forstern
Bergham
Ameisberg
Utzweih
Schachen
B 147
Wimpasing
Watzlberg
Haberpoint
B 1
Ober-
Pöndorf
-mühlham
Unter-
Straßwalchen
Aigelsbrunn
Thalham
Irrsdorf
B 1
B 154
Stockham
Steindorf
843 m
Rabenschwand
Oberhofen am Irrsee
Vöckla
Pfongau
Wegdorf
Schoibernberg
883 m
Wertheim
Laiter
Fischhof
Haslau
Irrsee
Harpont
895 m
Zell am Moos
Bach
B 154
0 2 km
Vorderau
Guggenberg
925 m
Kolomannsberg
1114 m
Grueb
Tiefgraben
Hof
Zum Weißenstein
Haidermühle
Schlößl
Mondsee
Thalgauberg
Gaisberg
Keuschen
A 1
Höribachhof
Schwarzindien
Thalgau
Fuschler Ache
Bichl
Achdorf
Mon

Der berühmte gotische Türflügel von Irrsdorf mit einer Darstellung der schwangeren Gottesmutter

Landesgrenze, wir sind wieder in Oberösterreich. Um nicht auf der Straße gehen zu müssen, schwenken wir ungefähr einen Kilometer hinter Irrsdorf etwas nach rechts ab und gehen über Taigen, Haslach und Rabenschwand nach Oberhofen.

Die Gotik ist in Irrsdorf durch die berühmten Türflügel vertreten, welche die Heimsuchung Mariens zeigen. Im Leib von Maria und von Elisabeth sind die Gestalten von Jesus und Johannes abgebildet, nicht als Embryos, sondern als voll entwickelte kleine Kinder. Im Übrigen ist die Kirche in üppigem Barock gehalten. Der Klosterbildhauer von Mondsee, Meinrad Guggenbichler, zeigte sich hier auf der Höhe seiner Kunst. Bescheidener ist die gotische Madonna, auch sie ein bemerkenswertes Kunstwerk. In Irrsdorf bietet das Hotel Fischwenger günstige Zimmer an (Tel. 0043/(0)6215/6037).

Kloster Mondsee

Das Kloster Mondsee wurde 748 vom Bayernherzog Odilo gegründet und ist eines der ältesten in Österreich. Es erfüllte durch alle Jahrhunderte bis zur Aufhebung im Jahr 1791 mit wenigen Unterbrechungen seine religiösen und kulturellen Aufgaben in musterhafter Weise. Im 10. Jahrhundert unterstand es dem Bischof von Regensburg, der heilige Wolfgang hielt sich ziemlich sicher hier auf – so hat die Legende von seinem Einsiedlerleben am Abersee einen wahren Kern. Seine Verehrung wurde im Kloster stets hochgehalten, in der Kirche ist er mehrfach abgebildet, ein Seitenaltar birgt eine Reliquie von ihm, einen Backenzahn. Das zugehörige Altarbild schildert die Wallfahrt und zeigt die armen Leute, die nach St. Wolfgang pilgern. Das Gotteshaus ist von imposanter Größe, wurde kürzlich zur päpstlichen Basilika erhoben und ist reich ausgestattet, vor allem mit Bildwerken des Klosterbildhauers Meinrad Guggenbichler, eines hervorragenden Barockkünstlers. Zu erwähnen ist auch die freundliche Wallfahrtskirche am Hilfberg oberhalb des Ortes, ebenfalls voller Werke Guggenbichlers.

In Mondsee gibt es reichlich Quartiere, am besten wendet man sich an den Tourismusverband (Tel. 0043/(0)6215/6015). Empfohlen sei das Jugendgästehaus, das Gäste jeder Altersklasse aufnimmt (Krankenhausstraße 3, Tel. 0043/(0)6232/2418), oder die Pension Klimesch (Guggenbichlerstraße 13, Tel. 0043/(0)6232/2563).

Mondsee ist seit Jahrhunderten der letzte Etappenort, bevor der Pilger den Wolfgangsee erreicht.

Auch die Kirche von Oberhofen ist voll von prächtigen Werken Guggenbichlers, allerdings ist sie meist versperrt.
Nach Oberhofen erblicken wir bald in einem weiten Becken den Zeller- oder Irrsee. Dabei erscheint es nicht empfehlenswert, das Ostufer mit dem Ort Zell am Moos zu begehen, weil man sich über längere Strecken auf der Straße plagen muss. Der Weg am Westufer ist weit angenehmer und außerdem weitgehend naturbelassen.
Wir zweigen also am Ende der langen Gefällstrecke von Oberhofen her nach rechts ab und wandern zunächst durch das weite Irrseemoor am Nordende des Sees. Bei einem markanten Hügel soll es sich der Legende nach um das Grab eines Fürsten aus der Bronzezeit handeln. Von oben grüßt die kleine Kirche von Sommerholz.
Am Ende des Sees, nach dem Hotel Pöllmann geht der Weg geradeaus weiter, er ist praktischerweise weiterhin als Radweg beschildert. Wir folgen ihm immer geradeaus und verlassen ihn erst dann, wenn ein Wegweiser zur „Erlachmühle“ weist. So kommen wir durch eine enge Talmulde, das wildromantische Helenental, vorbei am Gasthaus Erlachmühle, nach **Mondsee**. Zum Ortszentrum geht es in der Rainerstraße nach links.

ETAPPE 11

Von Mondsee nach St. Wolfgang

21 Km, ca. 5½ Stunden

Die letzte Etappe ist zweifellos die eindrucksvollste. Mondsee, Europakloster Gut Aich, der Falkenstein, das sind die wichtigsten Punkte dieser Wegstrecke, bevor man das Ziel, die Kirche von St. Wolfgang, erreicht. Es bringt nicht viel, diese romantische Strecke zu beschreiben, man muss sie einfach begangen haben.

Vom Kirchenplatz in Mondsee wendet man sich nach Osten in Richtung See und dann gleich wieder nach rechts in die Rainerstraße, die man bis zu ihrer Einmündung in die Bundesstraße benützt. Man bleibt ein Stück auf dieser Bundesstraße und biegt in Gaisberg beim Parkplatz des links gelegenen Kaufhauses nach links in einen Weg ein, der in der Folge in eine

Die südöstlich von Mondsee gelegene Filialkirche St. Lorenz

lange Birkenallee übergeht. Wo diese Allee endet, überquert man die Bundesstraße und bleibt auf diesem in der Folge als Radweg bezeichneten Weg, bis man nach ungefähr 3 km wieder zur Bundesstraße kommt. Dabei passiert man die reizvolle Kirche von St. Lorenz, die mit dem Schafberg im Hintergrund ein schönes Motiv abgibt. Weiter marschiert man entlang des Sees auf einem Radweg neben der Bundesstraße von Plomberg bis Scharfling. Hier überquert man übrigens wieder die Grenze von Oberösterreich nach Salzburg.

Rechts neben dem Gasthaus Scharfling führt ein Weg in ein Moorgelände hinein und steigt dann ungefähr 100 m an zum 664 m hohen Scharflingpass. Man geht auf der steilen alten Scharflingstraße, die seinerzeit bei den Autofahrern gefürchtet war. Unterwegs erinnert eine Kapelle an die Gefahren dieser Straße, aber auch daran, dass es sich um den Pilgerweg handelt. Der Weg mündet auf der Scharfling-Passhöhe in die Bundesstraße, neben der es bergab geht. Geradeaus beherrscht das Zwölferhorn das Bild. Es folgt links der Krottensee, an dem sich der heilige Wolfgang der Legende nach oft aufgehalten und die Kröten gefüttert haben soll. Das Pulver, das man aus diesen Kröten gewann, wurde als besonders heilsam angesehen. Am Gasthaus Batzenhäusl und an Schloss Hüttenstein vorbei muss man ein paar hundert Meter auf der Straße gehen, dann folgt links die Abzweigung nach Fürberg und nach wenigen Schritten erreicht man das **Europakloster Gut Aich**, wo man sich an der Pforte melden kann, wenn man den Pilgersegen empfangen will.

Gut Aich

Das Europakloster Gut Aich ist eine Neugründung der letzten Zeit, und zwar aus dem Jahr 1993. Acht Mönche leben hier nach der Regel des hl. Benedikt. Sie entfalten eine reiche spirituelle und kulturelle Tätigkeit auf vielen Gebieten. Der Prior, Pater Johannes Pausch, ist auch Psychotherapeut und erfolgreicher Buchautor. Man kann sagen, dass das Kloster auf dem Pilgerweg ein Segen für die ganze Region ist. Sehenswert ist die Kirche, die einer der Mönche künstlerisch ausgestaltet hat.

Von Aich geht es weiter hinunter zum See. Man muss dabei nicht ständig auf dem Asphalt gehen, sondern kann am Beginn des Waldes einen seitlichen Pfad einschlagen, der entlang eines Baches in dieselbe Richtung leitet. Den See erreicht man an einer besonders reizvollen Stelle, an der Bucht von Fürberg. Nach rechts ginge es zum Gasthaus Fürberg. Der Name kommt davon, dass man sich hier „vor dem Berg“ befindet, nämlich vor dem 795 m hohen **Falkenstein**. Der Weg beginnt auch bald kräftig anzusteigen und wird dann sehr steil, ein richtiger Bußweg. Es ist die letzte Prüfung für den Pilger, bevor er sein Ziel erreicht. Oben kommt er zur Kreuzigungskapelle, wo die Steine, welche die Pilger aus Buße hier heraufschleppten, bereits auf einem

Kein Pilger wird es versäumen, die Falkensteinkirche zu besuchen, in welcher der heilige Wolfgang einst als Einsiedler wohnte.

großen Haufen zusammenliegen. Kurz darauf steht er in einer Lichtung des Waldes vor der Falkensteinkirche (siehe S. 20f).
Nachdem wir die Kirche besucht und die Quellkapelle passiert haben, steigt der Weg nochmals an bis zum höchsten Punkt, jener Stelle, an der der heilige Eremit vom Teufel bedrängt worden war. Man geht etwas vor zur Hackelwurfkapelle, wo St. Wolfgang der Legende nach sein Beil ins Tal schleuderte. Dies ist ein überaus bedeutsamer Platz, nämlich der, an dem die Pilger seit eh und je zum ersten Mal den ersehnten Blick auf ihr Ziel, die Kirche von St. Wolfgang, werfen können. Man kann leicht nachfühlen, warum sich viele hier vor Freude umarmten und auf die Knie fielen.
Der Weg fällt nun steil ab. Nach der Rastkapelle, bei der ein Stein die Abdrücke des sitzenden Einsiedlers wiedergeben soll, hört der Wald auf und wir begeben uns in die Gefilde von Ried, des Vorlandes von St. Wolfgang, das noch zum Bundesland Salzburg gehört. Die Grenze zu Oberösterreich liegt unmittelbar vor dem Ort.
Wir kommen am Leopoldhof vorüber, einer gastlichen Stätte, wo sich die Pilger nach den Strapazen des Falkensteins noch einmal stärken können. Kurz darauf gabelt sich die Straße.

Das Ziel des Pilgerweges: St. Wolfgang

Man kann entlang des Sees nach St. Wolfgang gehen oder den alten Pilgerweg benützen, der über die Anhöhe führt und schöne Ausblicke bietet. Nach etwa 3 km ist **St. Wolfgang** erreicht, der Endpunkt der langen Pilgerfahrt, die wunderbare Kirche des heiligen Wolfgang.

St. Wolfgang

St. Wolfgang ist ein bedeutender Tourismusort, der mit Attraktionen wie dem berühmten Hotel zum „Weißen Rössl" und der Zahnradbahn auf den aussichtsreichen Schafberg punktet. Allein die prächtige Landschaft mit dem freundlichen See lohnt schon einen Besuch und Aufenthalt. Der kulturelle Höhepunkt ist freilich die Kirche mit ihren großartigen Kunstschätzen, dem, wie man sagt, schönsten gotischen Flügelaltar, den Michael Pacher (1471–1481) geschaffen hat, und einer Reihe von barocken Altären. Der Pilger, der die Spuren des heiligen Wolfgang sucht, wird hoch belohnt. Er findet den Gnadenaltar in der Mitte der Kirche und vor allem den intimen Raum der Wolfgangkapelle mit einem sagenumwobenen Felsen, der Zelle des Heiligen und einem kostbaren Altar. Weitere Erinnerungsstücke an den Heiligen und an die Wallfahrt werden in der sogenannten Schatzkammer aufbewahrt.

Viele Nächtigungsmöglichkeiten stehen zur Auswahl. Die Kurdirektion ist bei der Suche gerne behilflich (Tel. 0043/(0)6138/2239).

Wolfgang-Pilgerweg

RADWEG

von Regensburg
nach St. Wolfgang

Zur Einführung

Aus gutem Grund entscheiden sich viele dafür, einen Pilgerweg mit dem Fahrrad zurückzulegen. Die Entfernungen sind mitunter doch recht groß, nicht jeder hat ausreichend Zeit dafür, und die Eindrücke und Erlebnisse können sich ebenso gut einstellen, wie wenn man zu Fuß unterwegs ist. Wir haben uns entschlossen, für den St.-Wolfgang-Pilgerweg eine Variante vorzuschlagen, die vielleicht dem Fußpilger weniger konveniert, weil sie um einiges weiter ist als der klassische Wolfgangweg der Fußpilger. Für den Radfahrer ist sie aber geradezu ideal, denn sie verläuft zum größten Teil eben, ist landschaftlich abwechslungsreich und führt an einer Fülle von Sehenswürdigkeiten vorbei, besonders an der Donau, wo es reizvolle alte Städte sowie wahre Juwelen der Baukunst in reicher Fülle gibt. Auch einen Wolfgangort berührt man, die legendenumwobene Kirche von St. Wolfgang bei Griesbach. Ab Mattighofen verlaufen Fuß- und Radpilgerweg dann weitgehend ident. Verkehrsreiche Straßen werden generell vermieden, zum allergrößten Teil kann man beschilderte Radwege nutzen. Diese bieten die Ruhe und den Abstand vom Alltag, wie dies nun einmal ein Merkmal des Pilgerns ist.

Es gibt auf dieser Strecke organisierte Radtouren für Gruppen und für Einzelpilger, wobei Leihräder (E-Bikes) zur Verfügung gestellt werden. Die Tourismusbüros in St. Wolfgang und in Regensburg geben dazu gerne Auskünfte. Wer ein solches Ange-

Eine der Wolfgangkirchen am Weg: St. Wolfgang bei Griesbach

Der Radweg führt am ehemaligen Schloss Teichstätt vorbei, in dem sich der heilige Wolfgang nachweislich aufgehalten hat.

bot annimmt, hat den Vorteil, dass er sich um die Unterkünfte nicht mehr zu kümmern braucht. Ansonsten sei gesagt, dass auf der ganzen Strecke Nächtigungsmöglichkeiten reichlich vorhanden sind. Trotzdem und obwohl der Biker weit mobiler ist als der Fußwanderer, sei empfohlen, rechtzeitig, tunlichst am Morgen des betreffenden Tages, am vorgesehenen Zielort telefonisch das Nachtquartier zu sichern.

Was die Ausrüstung betrifft, so gilt dasselbe, was für die Fußwanderung gesagt wurde. Auch hier heißt die Regel in vielen Belangen: weniger ist mehr. Auf den Helm sollte man jedenfalls nicht verzichten. Ansonsten weiß der zünftige Biker ohnehin, was er alles mitnehmen muss, um für Pannen und sonstige unliebsame Vorfälle gerüstet zu sein. Noch etwas gilt auch für diesen Teil des Buches: Weder Verlag noch Autor sind in der Lage, Haftung für die vorgeschlagenen Routen, für die Quartiere und für sonstige Angaben zu übernehmen, obwohl wir uns sehr sorgfältig bemüht haben, richtige und brauchbare Angaben zu liefern.
Selbstverständlich kann die Radroute auch zu Fuß beschritten werden, ebenso ist es möglich, an allen Punkten in sie einzusteigen, etwa in Braunau oder in Mondsee.
Wir sind gewiss, dass auch die Radtour von Regensburg, dem Bischofssitz und der Grabstätte des heiligen Wolfgang, nach St. Wolfgang, zu seiner Einsiedelei und Verehrungsstätte, für jeden, der sie auf sich nimmt, ein großes Erlebnis sein wird.

ETAPPE 1

Von Regensburg nach Straubing

54 km

Die erste Etappe ist als Einstieg in die Tour wesentlich kürzer als die anderen und auch weniger anstrengend, weil sie ständig an der Donau entlangführt und daher völlig eben verläuft.

Wenn man auch den Radpilgerweg beim Grab des heiligen Wolfgang in St. Emmeram beginnen lässt, dann verlässt man Regensburg am besten wie folgt: Man wendet sich am Emmeramsplatz nach rechts und fährt über den St.-Peters-Weg durch bis zur Maximilianstraße, in die man nach links einbiegt. An ihrem Ende geht es nach links über den Alten Kornmarkt und den Domplatz, dann beim Dom um die Ecke bis zu der Straße, die „Unter den Schwibbögen" heißt." Man gelangt zu einem größeren Platz, an dem man die Donaubrücke „Eiserner Steg" erblickt. Hat man diese benützt, dann ist man auf der Insel Wöhrd, wo die Markierung des Donauradweges sichtbar wird. Dieser Weg ist so gut beschildert, dass man ihn in der Folge den ganzen Tag nicht mehr verfehlen kann. Eine Beschreibung des genauen Wegverlaufes erscheint daher nicht nötig und wir

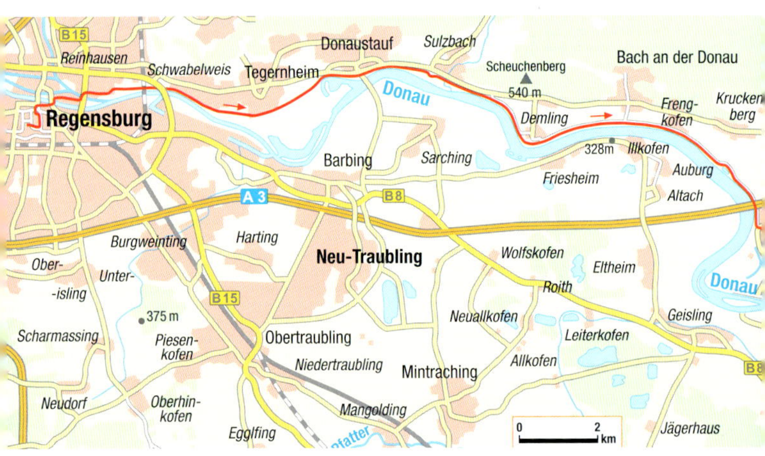

Die Steinerne Brücke ist neben dem Dom das Wahrzeichen von Regensburg.

beschränken uns hier im Wesentlichen auf das, was es am Radweg zu sehen und zu erleben gibt.

Zunächst fährt man durch die Regensburger Vororte Schwabelweis und Tegernheim, dann lange Stecken entlang des Dammes, der das Land vor Hochwasser schützt. Hinter Donaustauf treten die Hänge näher an den Fluss heran; man versäume nicht, zur **Walhalla** emporzublicken.

Walhalla

Es handelt sich um ein Gebäude, dessen Name „Walhalla" auf die germanische Mythologie hindeutet. Der Erbauer, König Ludwig I. von Bayern, war ein romantisch gesinnter Monarch, der Bau selbst ahmt hingegen ganz offensichtlich in reinster Form einen antiken griechischen Tempel nach. Im Inneren sind 65 Tafeln und 130 Büsten berühmter deutscher Frauen und Männer aufgestellt, denn der Zweck des Bauwerks ist es laut seinem Stifter, eine Ehrenhalle der „rühmlich ausgezeichneten Teutschen" zu sein.

Die Wallfahrtskirche von Sossau, über die eine spannende Legende existiert.

Ungefähr 20 km nach Donaustauf passiert man Wörth, das durch sein malerisches Schloss, einst Residenz der Regensburger Bischöfe, auffällt. Der Radweg zieht sich dann durch die „brettelflache" Donauebene und man fährt durch etliche kleine Dörfer. In dieser Landschaft liegt schließlich **Sossau**, das schon zum Stadtgebiet von Straubing gehört, mit seiner interessanten Wallfahrtskirche.

Legende von Sossau

Die Legende erzählt, die Kirche sei früher am anderen Ufer der Donau gestanden. Dort habe es aber Untaten und Raubüberfälle gegeben, weshalb Engel das Gebäude gepackt und über den Fluss getragen hätten, wo sie es schließlich in Sossau niederstellten. Am Hochaltar, auf dem Deckengemälde und auf großen Wandbildern ist jeweils der Transport des Gotteshauses dargestellt. Es heißt, der Kurfürst habe sich für die Geschichte interessiert und bei einer Untersuchung festgestellt, dass der Bau keine Fundamente habe. Seither feierte man den Ort als das Bayerische Loreto.

Von Sossau fährt man am besten entlang der Donau – also ostwärts – weiter bis zur nächsten Brücke (Agnes-Bernauer-Brücke), auf der man den Fluss überquert und geradeaus auf dem Radweg direkt nach **Straubing** kommt.

Als die Wittelsbacher im Spätmittelalter ihre Länder teilten, wurde auch ein Herzogtum Niederbayern-Straubing-Holland gegründet. Das mächtige, jedoch eher nüchterne Herzogschloss stammt aus dieser Zeit. Eindrucksvoller sind der langgezogene Stadtplatz mit dem Stadtturm in der Mitte und die Kirche St. Jakob, ein gewaltiger Backsteinbau. Auch die Ursulinenkirche, das letzte gemeinsame Werk der Gebrüder Asam, lohnt einen Besuch. Am schönsten ist die östlich der Altstadt gelegene Kirche St. Peter mit einem stimmungsvollen Friedhof, in dem die Agnes-Bernauer-Kapelle an eine tragische Gestalt der bayerischen Geschichte erinnert. Agnes Bernauer war die heimlich angetraute Ehefrau des bayerischen Herzogs Albrecht III. Da die Verbindung nicht standesgemäß war, ließ der Vater Albrechts die Unglückliche in Abwesenheit des Sohnes in der Donau ertränken.

Am Stadtplatz von Straubing erinnert so manches an die tragische Geschichte der Agnes Bernauer.

In Straubing gibt es genügend Nächtigungsmöglichkeiten. Auskünfte erteilt das Tourismusbüro, Theresienplatz 2, 94315 Straubing (Tel. 0049/(0)9421/944307).

ETAPPE 2

Von Straubing nach Vilshofen

85 km

Auch diese Etappe führt zum Großteil entlang der Donau am Donauradweg und weist daher keine Steigungen auf. Dabei reiht sich eine Sehenswürdigkeit an die andere. Empfohlen wird, den Weg nach der Donaubrücke bei Winzer zu verlassen und einen kleinen Umweg über die prachtvollen Klöster Osterhofen und Aldersbach zu machen. Dabei ist allerdings auch eine kurze Steigung inbegriffen. Wer das vermeiden will, bleibt bis Vilshofen auf dem flachen Donauradweg, entweder am nördlichen oder am südlichen Ufer.

Die Stadt Straubing verlässt der Radwanderer auf demselben Weg, auf dem er gekommen ist, also über dieselben Brücken. Nach der Agnes-Bernauer-Brücke zweigt der Radweg rechts ab und führt durch die gleiche Landschaft wie am ersten Tag. Es

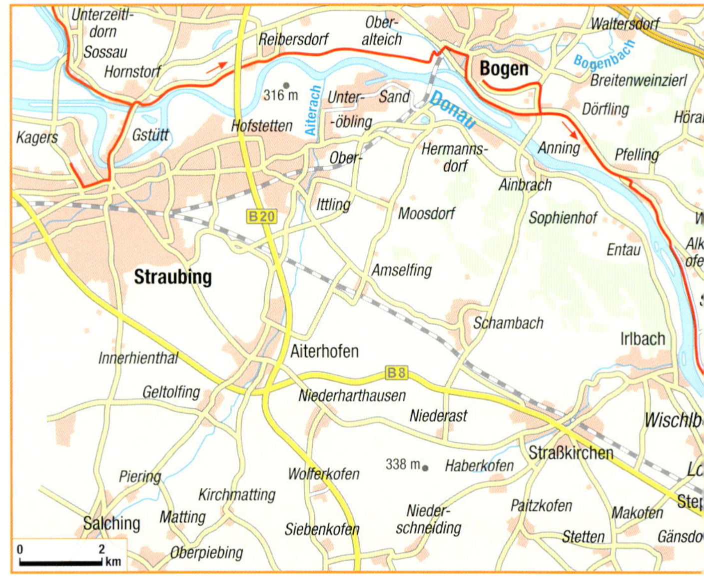

taucht allerdings die Kuppe des Bogenberges auf, dem wir uns nähern. Zuvor lohnt sich noch ein kurzer Abstecher zur Abteikirche von **Oberalteich**. Diese ist wohl nicht ganz so beeindruckend wie andere Kirchen, an denen wir noch vorbeikommen, weil sie früher erbaut und ausgeschmückt wurde, aber ein schönes Ensemble des Frühbarocks bildet sie trotzdem. Bald darauf erreichen wir die Stadt **Bogen**.

Bogen

Hier war der Sitz der 1242 ausgestorbenen Grafen von Bogen, welche das bayerische weiß-blaue Rautenwappen führten. Von ihnen übernahmen es die Wittelsbacher, heute findet man es allenthalben im Land. Der Stadtplatz von Bogen (ca. 10.000 Einwohner) ist geräumig, es gibt dort auch Übernachtungsmöglichkeiten.

Der sportliche Radpilger sollte nicht versäumen, 3 km hinter Bogen die Wallfahrtskirche auf dem **Bogenberg**, 120 m über der Ebene, zu besuchen. Das Gnadenbild in dieser Kirche ist eine altertümliche Statue der schwangeren Gottesmutter. Bemerkenswert sind die vielen großen Kerzen, besonders die 13 Meter hohen Pfingstkerzen links und rechts vom Hochaltar. Jährlich wird eine solche Kerze von der 75 km entfernten Ortschaft Holzkirchen bei Vilshofen in einem Fußmarsch hier-

Die prachtvolle Klosterkirche von Metten

hergebracht und im letzten Stück – aufrecht stehend – von den stärksten Männern des Dorfes auf den Berg hinaufgetragen. Umfassend ist auch die Aussicht von dem isoliert stehenden Berg.

Die Fahrt geht weiter die Donau und deren Damm entlang. In Mariaposching überquert eine Fähre die Donau. Es handelt sich um eine „Gierseilfähre", welche die Strömung des Flusses ausnützt. Sie wird von den beiden Landkreisen, die sie verbindet, betrieben. Ein paar Kilometer weiter folgt nach links die Abzweigung nach **Metten**, dessen zweitürmige Klosterkirche bereits seit längerem sichtbar ist.

Kloster Metten

Das Kloster Metten nennt als seinen Gründer Kaiser Karl den Großen persönlich. Er soll hier auf einen Eremiten namens Uto gestoßen sein, der ihn damit beeindruckte, dass er sein Beil an einem Sonnenstrahl aufhängte. Es handelt sich um eine großräumige Anlage: ein noch bestehendes Kloster mit mehreren Höfen, deren Zentrum, die Kirche, mit allem barocken Prunk ausgestattet wurde. Besonders berühmt ist die Bibliothek. Auch der Prälatengarten lohnt einen Besuch. In Metten nimmt der Pilgerweg Via Nova seinen Anfang.

Wir verlassen den Markt Metten in östliche Richtung und gelangen nach wenigen Kilometern in die Kreisstadt **Deggendorf**.

Deggendorf besteht wie die meisten bayerischen Städte im Kern aus einem langen Platz. Hier ist er geziert durch einen eleganten Turm. Er gehört zu einer Kirche, die wegen eines Hostienfrevels erbaut wurde, den man den Juden in die Schuhe schob. Eine lebhafte Wallfahrt war die Folge, die erst in der jüngsten Zeit abgestellt wurde. Sehenswert ist die etwas außerhalb gelegene Stadtpfarrkirche.

Nach Deggendorf treten die nördlichen Hügel wieder näher an die Donau heran. Am anderen Ufer mündet die Isar. Nach einem Badeweiher folgt wiederum links ein berühmtes Kloster: **Niederaltaich**.
Kloster Niederaltaich ist eines der ältesten in Bayern und heute noch „aktiv". Zu Anfang des 18. Jahrhunderts wurde die Kirche in schwerem Barockstil neu erbaut. Damit steht sie ganz in Gegensatz zum Rokoko in den Klöstern, die uns im Laufe unserer Pilgerfahrt noch begegnen werden.

In Niederalteich übersetzt eine Fähre die Donau, man könnte also jetzt schon auf das andere Ufer wechseln, ansonsten tut man das bei der großen Brücke, die den Fluss weiter unten nach einer Schleife überspannt. Auf der Südseite wendet man sich nach links und fährt dann geradewegs über Ruckasing nach **Osterhofen** hinein. Dort durchfährt man die Stadt. Die berühmte Klosterkirche erhebt sich im südlichen Ortsteil Altenmarkt. Man erreicht sie über den Straßenzug Altstadt – Vorstadt – Bahnhofstraße und, nachdem man unter der Bahn durchgefahren ist, nach einer kurzen Steigung.
Hier waren drei der größten bayerischen Künstler gemeinsam beschäftigt, der Baumeister Johann Michael Fischer und die Gebrüder Asam, der eine als Stuckateur, der andere als Maler. Es entstand ein heller, farbenfroher Kirchenbau von höchster künstlerischer Qualität. Man beachte, dass die vielen Figuren, Engel, Heilige und Schmuckelemente nicht Statuen sind, sondern dass sie in Stuck gefertigt wurden. Man beachte ferner die Illusionsmalerei der Deckenbilder.

In Niederalteich überquert eine Fähre die Donau.

Vilshofen: die Stadtpfarrkirche und die Vils

Altenmarkt verlässt man in südlicher Richtung. Bei der nächsten größeren Kreuzung nach dem Ortsende biegt man nach rechts ein und bleibt auf dieser Straße, die über eine Anhöhe erst hinauf und dann in rasanter Fahrt hinunter in das Tal der Vils führt. Dann geht es nach **Aldersbach**, wo der Kirchturm und der Schlot der Brauerei nicht zu übersehen sind.
Auch die Klosterkirche von Aldersbach ist das Werk der Brüder Asam, auch sie ist ein heller, prunkvoller Saal mit vielen reizvollen Details. In den ehemaligen Klostergebäuden ist eine der berühmtesten Bierbrauereien Bayerns untergebracht mit großem Festsaal, Stüberl und Biergarten.
Von Aldersbach geht es talauswärts, zunächst auf der Asphaltstraße, dann biegt man nach links ab auf den beschilderten Vils- oder Apfelradweg und kommt damit an einen schönen, naturbelassenen Abschnitt des Flusses Vils, ein Engtal, das direkt hinein in die Stadt **Vilshofen** leitet.
Die Stadt liegt dort, wo die Vils in die Donau mündet. Es handelt sich um ein hübsches Städtchen mit ungefähr 31.000 Einwohnern. Oberhalb der Stadt liegt die Benediktinerabtei Schweiklberg, ein Bau aus dem 19. Jahrhundert.

Auskunft über die Nächtigungsmöglichkeiten in Vilshofen erhält man im Tourismusbüro, Stadtplatz 27, 94474 Vilshofen (Tel. 0049/(0)8541/208112).

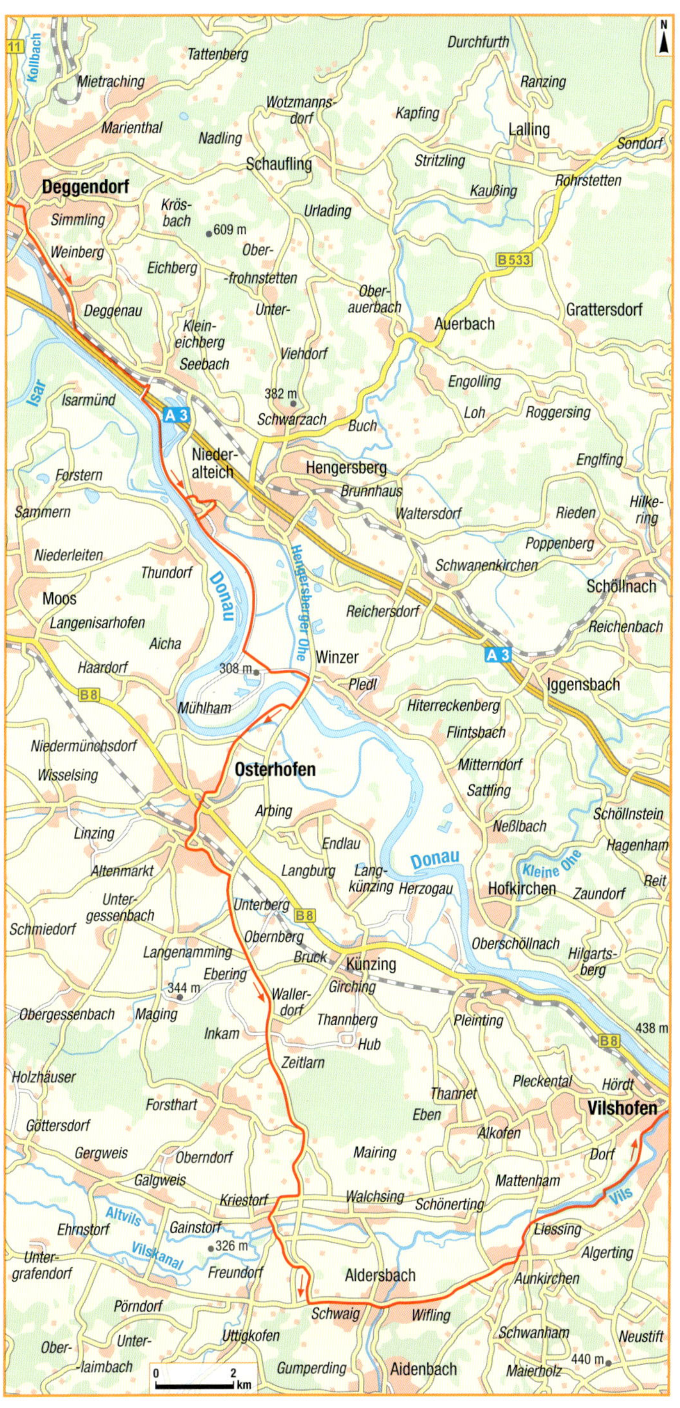
Durchfurth
Tattenberg
Mietraching
Ranzing
Wotzmannsdorf
Kapfing
Lalling
Marienthal
Nadling
Sondorf
Schaufling
Stritzling
Deggendorf
Kaußing
Rohrstetten
Simmling
Kröshach
Urlading
609 m
Weinberg
Ober-frohnstetten
Eichberg
B 533
Ober-auerbach
Grattersdorf
Deggenau
Unter-
Auerbach
Klein-eichberg
Viehdorf
Seebach
Engolling
Isar
Isarmünd
382 m
Loh
Roggersing
A 3
Schwarzach
Buch
Nieder-alteich
Englfing
Hengersberg
Forstern
Brunnhaus
Hilke-ring
Waltersdorf
Rieden
Sammern
Poppenberg
Niederleiten
Hengersberger Ohe
Schwanenkirchen
Thundorf
Donau
Schöllnach
Moos
Reichersdorf
Langenisarhofen
Reichenbach
Aicha
Winzer
A 3
Haardorf
308 m
Iggensbach
Pledl
B 8
Mühlham
Hiterreckenberg
Flintsbach
Niedermünchsdorf
Osterhofen
Mitterndorf
Wisselsing
Sattling
Arbing
Schöllnstein
Neßlbach
Linzing
Hagenham
Endlau
Donau
Kleine Ohe
Altenmarkt
Reit
Langburg
Lang-künzing
Herzogau
Hofkirchen
Zaundorf
Unter-gessenbach
Unterberg
B 8
Schmiedorf
Obernberg
Oberschöllnach
Hilgarts-berg
Langenamming
Bruck
Künzing
Ebering
Girching
344 m
Waller-dorf
Obergessenbach
Maging
Thannberg
Pleinting
438 m
Inkam
Hub
B 8
Zeitlarn
Holzhäuser
Pleckental
Hördt
Thannet
Forsthart
Eben
Vilshofen
Alkofen
Göttersdorf
Mairing
Dorf
Gergweis
Oberndorf
Mattenham
Galgweis
Walchsing
Vils
Kriestorf
Schönerting
Altvils
Ehrnstorf
Gainstorf
Liessing
Vilskanal
326 m
Algerting
Unter-grafendorf
Freundorf
Aldersbach
Aunkirchen
Pörndorf
Schwaig
Wifling
Unter-
Uttigkofen
Schwanham
Neustift
Ober-laimbach
0
2
km
Gumperding
Aidenbach
440 m
Maierholz

ETAPPE 3

Von Vilshofen nach Braunau

80 km

Von Vilshofen geht es in südöstlicher Richtung nach Ortenburg. Wir sind im bayerischen Klosterwinkel, auch niederbayerische Toskana genannt. Der Weg führt durch leicht hügeliges Gelände, vor St. Wolfgang bei Weng gibt es sogar einmal eine kurze, kräftige Steigung. Dann durchquert man das sogenannte Bäderdreieck und gelangt schließlich zum Inn, wo man vorzüglich ausgebaute und ausgestattete Radwege benützen kann.

Vom Stadtplatz von Vilshofen fahren wir zur Vilsbrücke, wo sich ein schöner Rückblick auf die Stadt bietet, und dann geradeaus durch die Vilsvorstadt. Nach der Bahnunterführung halten wir uns nach links in Richtung Ortenburg. In leichter Steigung führt die Straße nach Zeitlarn, wo wir unmittelbar nach dem Bushäuschen nach rechts abbiegen und so zum Wolfach-Radweg kommen, dem wir bis **Ortenburg** folgen.

Der prachtvolle Innenhof des Schlosses von Ortenburg

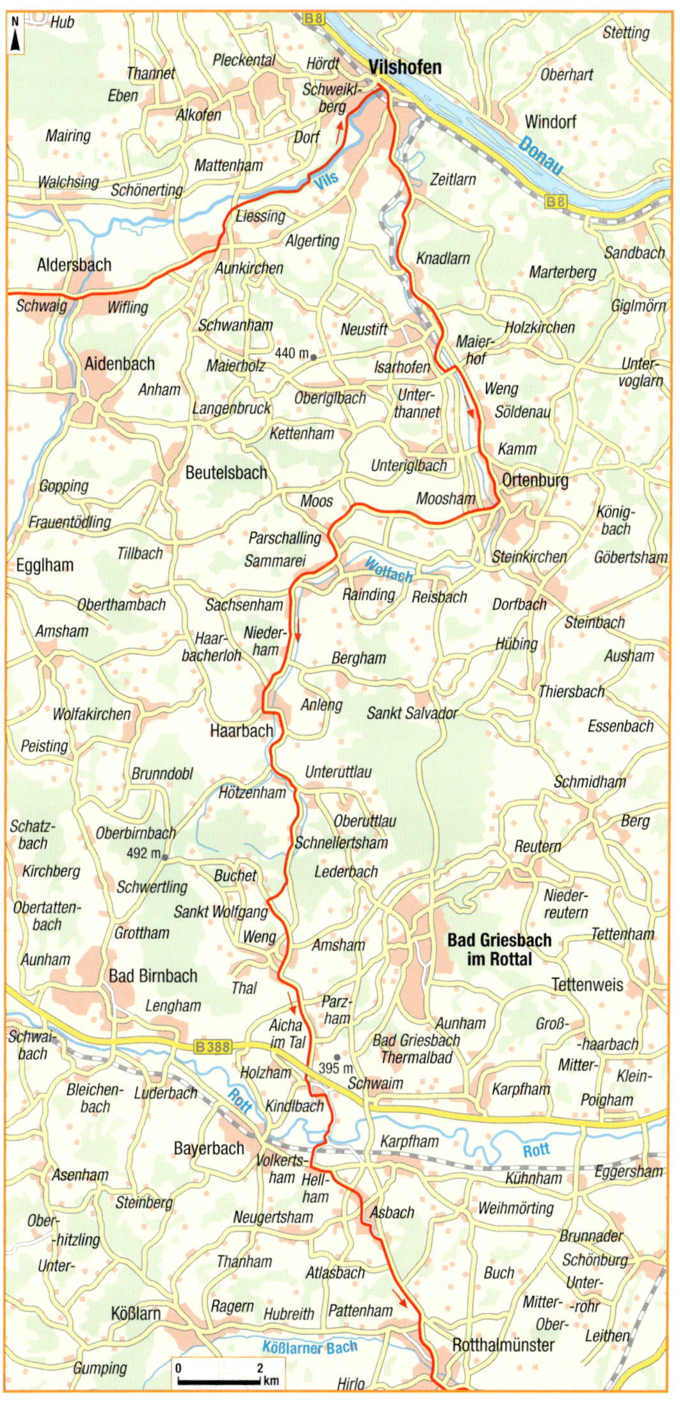
Vilshofen
Donau
Vils
Aldersbach
Aidenbach
Beutelsbach
Ortenburg
Egglham
Wolfach
Haarbach
Bad Griesbach im Rottal
Bad Birnbach
Rott
Bayerbach
Kößlarn
Rotthalmünster
Kößlarner Bach
B8
B388
440 m
492 m
395 m
0 2 km

Ortenburg ist bekannt als evangelische Enklave mitten im tiefkatholischen Niederbayern. Die hier ansässigen Grafen, ein reichsunmittelbares Geschlecht, führten 1563 die Reformation ein. In der Marktkirche findet man ihre prächtigen Grabmäler. Über dem Markt erhebt sich das Schloss mit einem schönen Hof und sehenswerten Räumen.
Gleich nach dem Marktplatz von Ortenburg zweigt nach Westen der Weg nach Parschalling ab. Wir erreichen über ihn die Straße PA 18 und gelangen knapp hinter Parschalling zum sehenswerten Wallfahrtsort **Sammarei.**

Sammarei

Die Kirche von Sammarei ist etwas ganz Besonderes. 1619 brannte ein Bauernhaus ab. Die danebenstehende Kapelle blieb gegen alle Naturgesetze unversehrt. Nachdem sich weitere Wunder ereignet hatten, errichtete man die Kirche und baute ihren vorderen Teil über der Holzkapelle, die so bis heute im Originalzustand erhalten blieb. Der andere Teil wurde durch einen groß angelegten Altar abgeschlossen, einer ostkirchlichen Ikonostase ähnlich. Der Gang rund um die Holzkapelle und diese selbst sind geradezu tapeziert mit Votivbildern.

Diese Detailaufnahme des prunkvollen Hochaltars von Sammarei zeigt den heiligen Georg.

Auf der Dorfstraße und dann wieder auf der PA 75 geht es weiter nach Sachsenham. Unweit von Haarbach mündet die PA 75 nach rechts in die PA 78 ein. Auf dieser passiert man, immer geradeaus auf dieser Straße bleibend, einige kleine Ortschaften wie Riedertsham, Hötzenham und Schnellertsham. Im Wald oberhalb von Schnellertsham zweigt nach rechts eine Straße ab, auf der es tiefer in den Wald hinein- und hinaufgeht, und dann noch einmal nach links ein relativ steiler Schotterweg. Am Ende des Weges und des Waldes befindet man sich in **St. Wolfgang bei Griesbach**.
Es heißt, auch hier habe der heilige Wolfgang wie am Falkenstein das Beil geworfen, nachdem er sich in dem oberhalb gelegenen Wald verirrt hatte. Auch eine (heute allerdings versiegte) Quelle erweckte er, und er hinterließ einen Stein mit seinen

Fußspuren. Beides ist in einem Anbau hinter der Kirche zu finden. Der Bau selber ist recht hübsch und hat eine qualitätvolle Ausstattung. Besonders beachtlich sind die schönen Votivbilder im hinteren Bereich. Da in dieser Kirche der heilige Konrad von Altötting getauft wurde, ist in ihr dessen Verehrung von größerer Bedeutung als die des heiligen Wolfgang.

Von St. Wolfgang bei Griesbach geht es rasch hinunter nach Weng. Man befindet sich nun im Rotttal, im sogenannten Bäderdreieck. Rechts liegt Bad Birnbach, links Bad Griesbach. Sofern wir nicht den Besuch einer der beiden Thermen auf dem Programm haben, berühren wir keinen der beiden Orte, sondern fahren auf der PA 72 zwischen beiden geradeaus hindurch. Wir bleiben auf dieser Straße auch, nachdem wir die Bundesstraße überquert haben, biegen dann nach links ab und nach der Ortschaft Kindlbach wieder nach rechts. Auf diese Weise gelangen wir zum Golfplatz Sägmühle mit seinem Golfstüberl. Das Gebiet um Bad Griesbach ist ja mit Golfplätzen so reich bestückt wie keine andere Region in Deutschland. Nach dem Golfplatz wird die Rott überquert, wir halten uns dann links und kommen nach einer Steigung in den Ort **Asbach.**

Auch hier gibt es ein Kloster. Die Kirche wurde allerdings erst im letzten Drittel des 18. Jahrhunderts, knapp vor der Klosteraufhebung, gebaut und ist daher nicht mehr im freudigen Rokoko gehalten, sondern im kühleren Stil des Klassizismus. Sie enthält Gemälde und Fresken der berühmten österreichischen Maler Kremser Schmidt und Josef Schöpf.

Die weitere Fahrt geht von Asbach auf der Asphaltstraße nach Süden über eine Anhöhe. Von ihr fährt man dann hinunter und über die rechts abzweigende Griesbacher Straße nach **Rotthalmünster** hinein.

Dieses ist ein durchaus beschaulicher kleiner Marktflecken mit einem stark abfallenden Platz und einer barocken Kirche. Das gastronomische Angebot des Ortes ist überschaubar, es gibt für müde Radpilger leider auch keinerlei Nächtigungsmöglichkeiten.

Der beschauliche Markt Rotthalmünster

Die Leonhardskirche von Aigen, nicht weit vom Inn-Radweg entfernt

Am unteren Ende des Marktplatzes wendet man sich in Richtung Osten und kommt in Folge zu der nach rechts abzweigenden Bahnhofstraße. Dort beginnt der Radweg „Alter Dammweg“, auf dem man in angenehmer Fahrt eben und abseits der Straßen in das Inntal hinausfährt. Er endet in Kirchham und mündet dort in den Inn-Radweg. In Kirchham ist man im Bereich des etwas nördlich gelegenen Thermalbades Bad Füssing. Man merkt es an den vielen Kaffeehäusern und Fremdenpensionen. Auch ein Schloss gibt es hier, das den Kurgästen als Hotel zur Verfügung steht.

In der Folge benützen wir den Inn-Radweg, der uns den Fluss entlang nach Süden leitet. Da wir uns hier in einer mächtigen Schotterebene befinden, haben wir keine Steigungen mehr zu erwarten. Nicht übersehen sollte man die Abzweigung nach **Aigen am Inn;** der kurze Abstecher lohnt sich.

Aigen am Inn

In dem kleinen Ort befindet sich die urtümliche Wallfahrtskirche zum Viehpatron Leonhard. Das Gotteshaus hat zwei völlig ungleiche Türme und beweist sein hohes Alter auch durch seine unregelmäßige Bauart. Man findet darin schöne gotische Statuen und eine Anzahl barocker Altäre.

Bei Ering bietet sich dann Gelegenheit, den Inn an einer Staustufe beim Schloss Frauenstein zu überqueren und damit von Deutschland nach Österreich zu wechseln. Dort geht der Inn-Radweg weiter und ist womöglich noch besser beschildert und mit noch mehr Informationsmaterial versehen als der Weg auf der anderen Seite des Flusses. Man fährt die meiste Zeit auf einem Damm und hat immer wieder Einblicke in die geschützte Naturlandschaft des Unteren Inn mit malerischen Nebenarmen und einer reichen Flora und Fauna. Den landschaftlichen Höhepunkt bildet Schloss Hagenau, das prachtvoll an einem Teich gelegen ist – ein reizvolles Fotomotiv. Am Ende erreicht man dann **Braunau** und muss eine kurze Steigung bewältigen, um in die höher gelegene Stadt zu gelangen.

Braunau, heute eine Stadt mit ca. 16.000 Einwohnern, war in früheren Zeiten von Ranshofen abhängig, wo sich eine Kaiserpfalz befand. Heute ist das eine Vorstadt mit Aluminiumindustrie und einer ehemaligen Klosterkirche. In der Stadt selber imponieren der gewaltige Stadtplatz und die gotische Stadtpfarrkirche St. Stephan mit ihrem hohen Turm.
Auskünfte erteilt der Tourismusverband, Stadtplatz 2, 5280 Braunau (Tel. 0043/(0)7722/62644).

ETAPPE 4

Von Braunau nach St. Wolfgang

80 km

Das ist natürlich die Königsetappe der ganzen Tour. Nicht nur, dass man am Ziel in St. Wolfgang ankommt, die ganze Strecke ist einfach ein Genuss. Der Biker kann weitgehend Radwege benützen, die gut angelegt sind und nicht nur großartige Landschaftseindrücke, sondern auch kulturelle Highlights bieten. Das Gebirge rückt immer näher. Nicht nur schöne Gipfel sind zu sehen, sondern auch Seen, zuletzt der Wolfgangsee. Es sei aber gleich darauf hingewiesen: Den Falkenstein, den Berg des heiligen Wolfgang, sollte man nicht mit dem Rad befahren!

In Braunau nimmt uns der Mattigtal-Radweg auf. Man findet ihn am leichtesten, wenn man wieder zum Inn hinunter und flussabwärts fährt bis zur beschilderten Abzweigung. Alternativ fährt man vom Stadtplatz durch die Linzergasse, dann nach rechts in die Palmstraße bis zum Mühlenweg, in den man nach links einbiegt. Seine Fortsetzung ist der Haselbacher Gehweg,

Der Radweg führt durch die romantischen Inn-Auen.

dem man immer geradeaus folgt, auch nachdem er die Namen „Haselbacher Straße“ und „Dietfurter Straße“ angenommen hat. Am Ende mündet man nach rechts in den Mattigtal-Radweg. Dabei passiert man die sehenswerte Haselbacher Kirche zum heiligen Valentin, ein zu Unrecht völlig unbekanntes Juwel. Allmählich kommt man aus der Stadt heraus in die bäuerliche Landschaft des unteren Mattigtales.

St. Florian bei Helpfau, ein besonders schöner Punkt auf der Fahrt durch das Mattigtal

Ein kultureller Haltepunkt wäre die Kirche von St. Georgen an der Mattig mit barocken Altären der Gebrüder Zürn, aber sie ist leider versperrt, und um sie zu besuchen, muss man sich zwei Tage vorher (!) im Pfarramt anmelden. Man kommt an dem stattlichen Marktort Mauerkirchen vorbei und erblickt dann bald den Turm von St. Florian bei Helpfau. Auch diese Kirche ist versperrt, sie bietet aber samt den davor liegenden Fischteichen ein malerisches Fotomotiv.
Der Radweg wendet sich nun nach rechts, durchquert das Mattigtal und kommt in den Marktflecken **Uttendorf** mit einem weiten Platz und etlichen Kirchen. Auf der anderen Talseite geht es weiter. Die Stadt **Mattighofen** berührt der Radweg nicht, sondern führt uns nun nach Pfaffstätt, wo wir ihn verlassen, nach links in den Ort schwenken und rechts in die mit „Munderfing“ bezeichnete Straße einschlagen.

Im Folgenden ist der Radweg weitgehend identisch mit dem Fuß-Pilgerweg. Die Route wird weiterhin beschrieben; bezüglich der Hinweise auf Sehenswürdigkeiten und Besonderheiten der einzelnen Orte sei auf die kursiv gedruckten Beschreibungen beim Fuß-Pilgerweg verwiesen.

Munderfing ist ein typisches Innviertler Dorf, man durchfährt es bis zum Landgasthaus Graf, dem gegenüber rechts eine Brücke über den Schwemmbach führt. Bei der nächsten Straße, der „Römerstraße“, biegt man nach rechts ab und folgt ihr

Valentinhaft besitzt eine legendenumwobene Kirche.

und ihren Fortsetzungen in gerader Richtung bis zur Ortschaft Achenlohe, wo man nach rechts abschwenkt. Bei der nächsten Kreuzung mit einem Wegkreuz weist der Weg in die Ortschaft **Valentinhaft** mit ihrer Kirche, in deren Mauer rechts vom Eingang ein Loch jene Stelle anzeigt, in welcher der hl. Wolfgang durch die Mauer durchgriff, um die Kirche von innen aufzusperren. Unterhalb der Kirche radelt man weiter, biegt in Oberhaft nach links ab und dann beim Bahngeleise nach rechts. Bei der Bahnhaltestelle „Teichstätt" und dem Gasthaus Ledl (Rotwildgehege und im Inneren großes Aquarium) macht man einen kleinen Abstecher nach links, um die Ortschaft **Teichstätt** mit ihrem zu einem Bauernhof umgebauten Schloss zu besuchen, in dem sich der heilige Wolfgang nachweislich aufgehalten hat. Zurück beim Gasthaus Ledl überquert man die Bahn und biegt gleich in die nach links führende Straße ein, auf der man **Lengau** erreicht.

Nach Besichtigung des „Riesengrabes" am Friedhof neben dem Kirchentor fährt man in der gleichen Richtung auf dem Radweg „Barocktour" weiter bis Roidwalchen, das bereits im Land Salzburg liegt und wo man nach links einschwenkt in den nächsten größeren Ort: **Straßwalchen**. Zuvor passiert man noch ein ungeheuer großes Autolager, wo für die einzelnen Typen und Marken jeweils eigene Sektoren vorgesehen sind.

In Straßwalchen landet man auf dem Marktplatz. Man fährt weiter in Richtung Salzburg, also nach Süden, und biegt dann nach kurzer Strecke in die nach Mondsee führende Straße ein. Dort beginnt auf der rechten Seite wieder ein Radweg, auf dem man zu den sehenswerten Orten **Irrsdorf** und **Oberhofen** gelangt, und ist wieder in Oberösterreich. Bald darauf erblickt man den Zeller- oder Irrsee, in dessen Senke man in schwungvoller Fahrt hinabfährt. Auch für den Radfahrer ist die Strecke

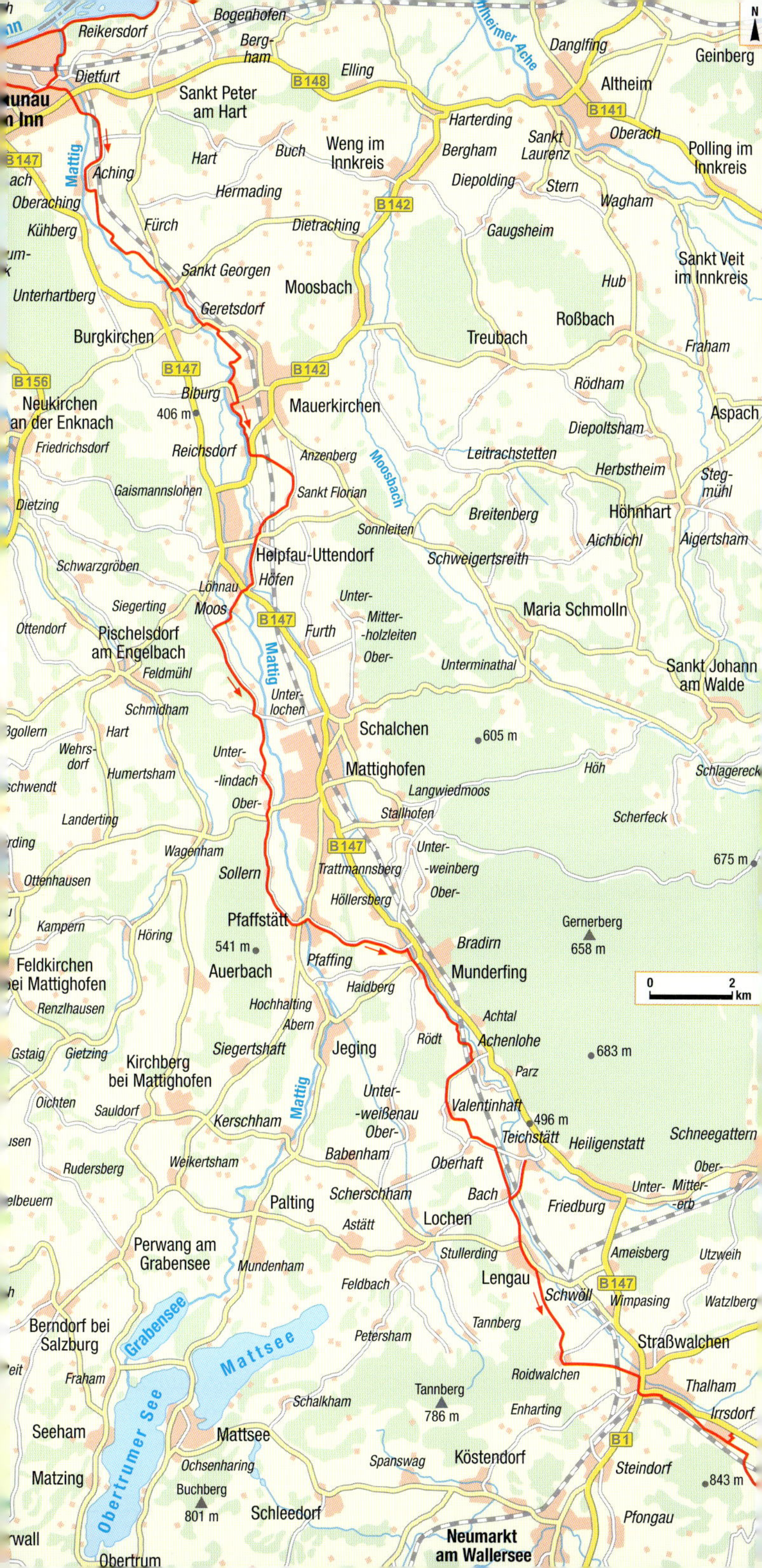

N
Reikersdorf
Bogenhofen
Berg-
ham
Dangling
Geinberg
Dietfurt
Elling
B148
Altheim
Sankt Peter
am Hart
B141
Harterding
Oberach
Sankt
Laurenz
Polling im
Innkreis
B147
Mattig
Aching
Hart
Buch
Weng im
Innkreis
Bergham
Diepolding
Stern
Wagham
Oberaching
Hermading
B142
Kühberg
Fürch
Dietraching
Gaugsheim
Sankt Georgen
Moosbach
Sankt Veit
im Innkreis
Unterhartberg
Geretsdorf
Hub
Burgkirchen
Treubach
Roßbach
Fraham
B147
B142
B156
Biburg
Rödham
Neukirchen
an der Enknach
406 m
Mauerkirchen
Aspach
Diepoltsham
Friedrichsdorf
Reichsdorf
Anzenberg
Moosbach
Leitrachstetten
Herbstheim
Steg-
mühl
Gaismannslohen
Sankt Florian
Dietzing
Breitenberg
Höhnhart
Sonnleiten
Aichbichl
Aigertsham
Helpfau-Uttendorf
Schweigertsreith
Schwarzgröben
Höfen
Löhnau
Unter-
Siegerting
Moos
Mitter-
Maria Schmolln
B147
-holzleiten
Ottendorf
Pischelsdorf
am Engelbach
Furth
Ober-
Mattig
Unterminathal
Sankt Johann
am Walde
Feldmühl
Unter-
lochen
Schmidham
Schalchen
605 m
Hart
Wehrs-
dorf
Unter-
Mattighofen
Höh
Schlagereck
Humertsham
-lindach
Langwiedmoos
Ober-
Stallhofen
Scherfeck
Landerting
B147
Unter-
Wagenham
-weinberg
675 m
Trattmannsberg
Sollern
Ottenhausen
Ober-
Höllersberg
Gernerberg
Kampern
Pfaffstätt
658 m
Höring
Bradirn
541 m
Feldkirchen
Pfaffing
Munderfing
0
2
km
Auerbach
Haidberg
Renzlhausen
Hochhalting
Achtal
Abern
Gstaig
Gietzing
Rödt
Achenlohe
Siegertshaft
Jeging
683 m
Kirchberg
bei Mattighofen
Parz
Oichten
Unter-
Sauldorf
-weißenau
Valentinhaft
Mattig
496 m
Kerschham
Ober-
Teichstätt
Heiligenstatt
Schneegattern
Babenham
Rudersberg
Weikertsham
Oberhaft
Ober-
Unter-
Mitter-
-erb
Palting
Scherschham
Bach
Friedburg
Astätt
Lochen
Perwang am
Grabensee
Stullerding
Ameisberg
Utzweih
Mundenham
Lengau
Feldbach
B147
Schwöll
Wimpasing
Watzlberg
Berndorf bei
Salzburg
Tannberg
Grabensee
Petersham
Straßwalchen
Mattsee
Roidwalchen
Thalham
Fraham
Tannberg
786 m
Schalkham
Enharting
Irrsdorf
Seeham
Mattsee
B1
Obertrumer See
Ochsenharing
Spanswag
Köstendorf
Steindorf
Matzing
843 m
Buchberg
801 m
Schleedorf
Pfongau
Neumarkt
am Wallersee
Obertrum

Am Mondsee erreicht der Pilger das Gebirge.

am Westufer die empfehlenswertere, sie ist viel naturbelassener und man weicht der stark befahrenen Bundesstraße aus. Am Südufer bleibt man auf dem Radweg und erreicht in der Folge den alten Markt **Mondsee** am gleichnamigen See mit seiner prachtvollen Klosterkirche. Heute ist der Ort bei Urlaubern äußerst beliebt.

Für den Radfahrer ist es der schönste Weg, Mondsee zu verlassen, wenn er sich vom Marktplatz nach links wendet und dann geradeaus in Richtung See fährt. Er kommt durch die prachtvolle Lindenallee mit uralten Bäumen links und rechts. Am Ende, am Weg zu Seepromenade und Strandbad, findet er die Seekapelle mit einem großen Bild, das den heiligen Wolfgang zeigt, wie er die Quelle am Falkenstein erweckt. An der Bundesstraße, dort, wo die Allee endet, muss der Pilger aber nach rechts abbiegen und dann Richtung St. Gilgen weiterfahren, bis er zu einem links gelegenen Kaufhaus kommt. Dort beginnt ein Weg, der in der Folge wieder in eine Allee mündet, diesmal ist sie von Birken gesäumt. Am Ende überqueren wir wieder die Bundesstraße und sind damit auf dem Weg, der über das malerische St. Lorenz nach Plomberg führt. Dort kann der Pilger, dem Seeufer folgend, den Radweg neben der Bundesstraße benützen, auf dem er auch in der Ortschaft Scharfling bleibt. Es beginnt der längere Aufstieg auf den Scharflingpass (604 m) mit gut 100 m Höhenunterschied. Vorbei am Krottensee und am Schloss Hüttenstein gelangt man zur Abzweigung nach Fürberg, wo man sich entscheiden muss, wie es weitergehen soll: Der steile Weg über den Falkenstein ist nicht zu empfehlen,

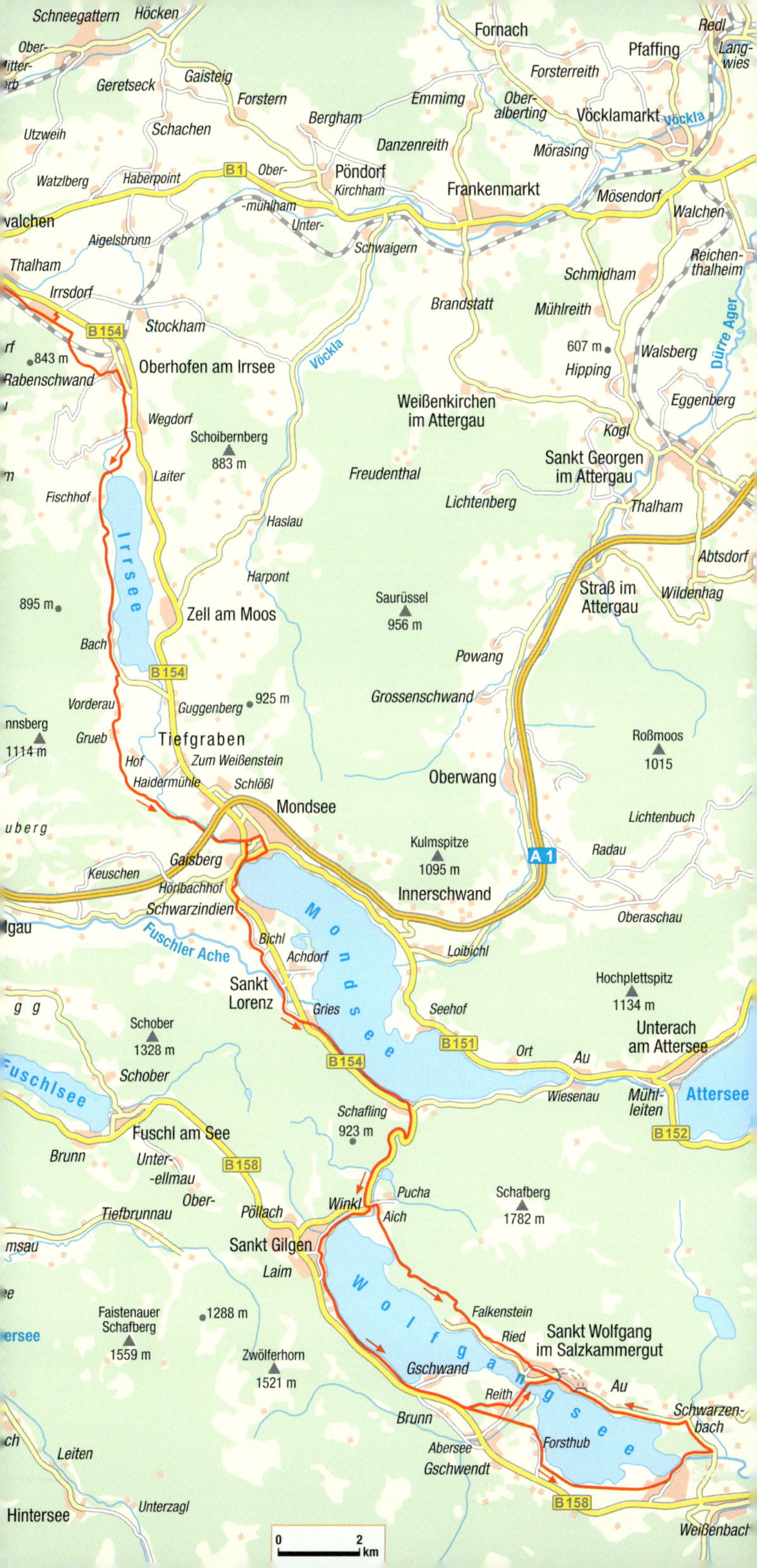

Schneegattern
Höcken
Fornach
Redl
Pfaffing
Lang-
wies
Geretseck
Gaisteig
Forsterreith
Forstern
Emmimg
Ober-
alberting
Vöcklamarkt
Vöckla
Utzweih
Schachen
Bergham
Danzenreith
Mörasing
Watzlberg
Haberpoint
B1
Ober-
-mühlham
Pöndorf
Kirchham
Frankenmarkt
Mösendorf
Unter-
Walchen
Aigelsbrunn
Schwaigern
Reichen-
thalheim
Thalham
Schmidham
Irrsdorf
Brandstatt
Mühlreith
B154
Stockham
Vöckla
607 m
Walsberg
Dürre Ager
843 m
Oberhofen am Irrsee
Hipping
Rabenschwand
Weißenkirchen
im Attergau
Eggenberg
Wegdorf
Kogl
Schoibernberg
883 m
Sankt Georgen
im Attergau
Laiter
Freudenthal
Fischhof
Lichtenberg
Thalham
Haslau
Irrsee
Abtsdorf
Harpont
Straß im
Attergau
Wildenhag
Saurüssel
956 m
895 m
Zell am Moos
Bach
Powang
B154
Guggenberg
925 m
Grossenschwand
Vorderau
Roßmoos
1015
Grueb
Tiefgraben
1114 m
Hof
Zum Weißenstein
Oberwang
Haidermühle
Schlößl
Mondsee
Lichtenbuch
Kulmspitze
1095 m
Radau
Gaisberg
A1
Keuschen
Hörlbachhof
Innerschwand
Schwarzindien
Oberaschau
Mondsee
Bichl
Fuschler Ache
Achdorf
Loibichl
Hochplettspitz
1134 m
Sankt
Lorenz
Gries
Seehof
Unterach
am Attersee
Schober
1328 m
B151
Ort
Au
B154
Schober
Wiesenau
Mühl-
leiten
Attersee
Fuschlsee
Schafling
923 m
Fuschl am See
B152
Brunn
Unter-
-ellmau
B158
Ober-
Pucha
Schafberg
1782 m
Tiefbrunnau
Pöllach
Winkl
Aich
Sankt Gilgen
Laim
Wolfgangsee
Falkenstein
Faistenauer
Schafberg
1559 m
1288 m
Ried
Sankt Wolfgang
im Salzkammergut
Zwölferhorn
1521 m
Gschwand
Au
Reith
Schwarzen-
bach
Brunn
Forsthub
Abersee
Gschwendt
Leiten
B158
Hintersee
Unterzagl
Weißenbach
0
2
km

Am Westufer des Wolfgangsees: St. Gilgen

denn Gemeinden und Grundbesitzer klagen, dass durch die Radfahrer der Weg in kurzer Zeit immer wieder ruiniert wird. Es bietet sich also an, entweder von der angegebenen Kreuzung vorbei am Europakloster Gut Aich zum See zu fahren, wo man den gepflegten Gasthof „Fürberg“ mit Schiffstation findet, und dort sozusagen auf dem Seeweg **St. Wolfgang** anzufahren. Der Pilger kann natürlich auch sein Fahrrad dort stehen lassen und den Falkenstein mit seinen Erinnerungsstätten an den heiligen Wolfgang zu Fuß besteigen. Wenn er auf der anderen Seite hinuntergeht, kommt er wieder zu einer Schiffstation und kann von dort oder vielleicht von St. Wolfgang zu seinem Fahrrad zurückkehren.

Eine weitere Möglichkeit: Man kann von der betreffenden Kreuzung weiter nach **St. Gilgen** radeln und von dort entlang des Sees die Fähre („Überfuhr“) oder die Querschifffahrt nach St. Wolfgang ansteuern. Beides ist an der Bundesstraße angeschrieben. Falls man den See umrunden möchte, kommt man auch über Strobl ans Ziel. Jedenfalls sollte der Endpunkt unseres Rad-Pilgerweges die Wallfahrtskirche von St. Wolfgang sein!

Ortsregister

Altötting

Pilgerwege ins Herz Bayerns

www.altoetting.de

mit online-Reservierung von Altöttinger Pilgerquartieren

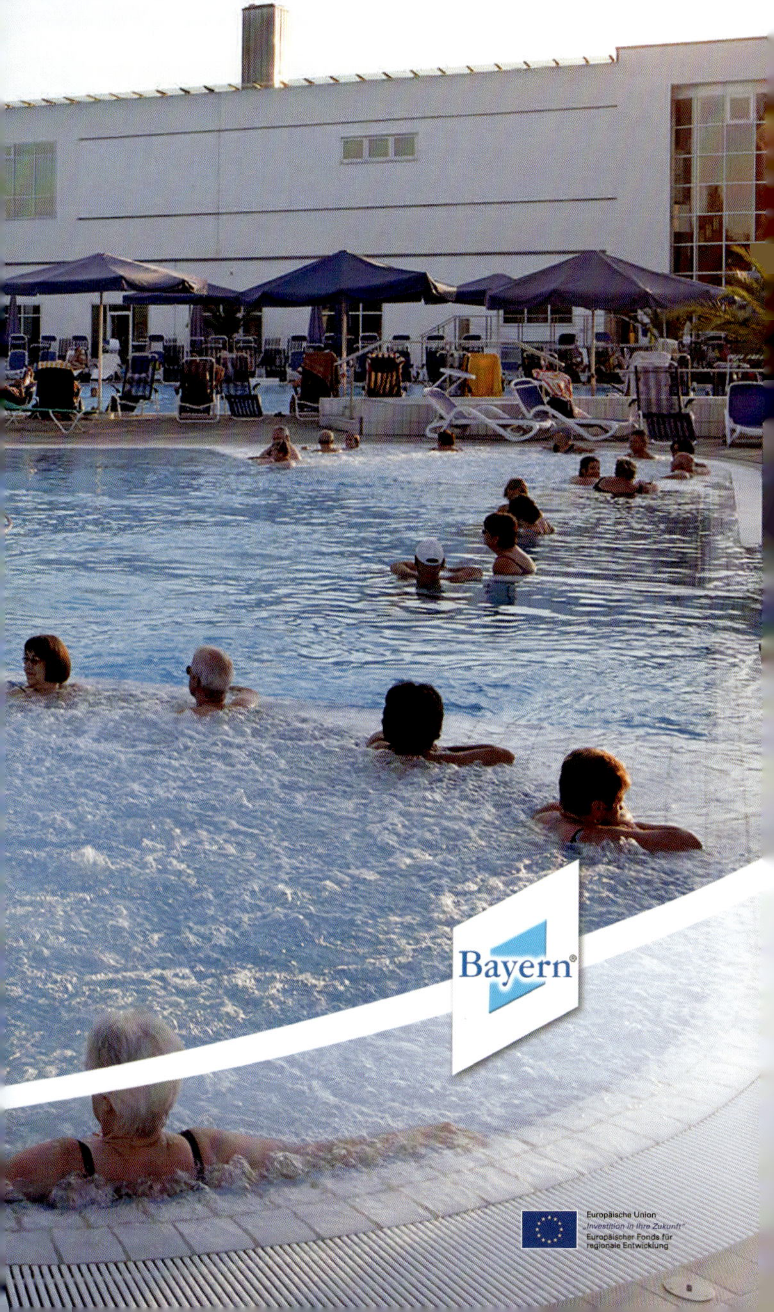

Bayern®

Europäische Union
„Investition in Ihre Zukunft"
Europäischer Fonds für
regionale Entwicklung

Erleben Sie nich
irgendeinen Pilgerweg -
erleben Sie ein Stück Geschichte

Mit dem E-Bike auf „Wolfgangs" Spuren...

Ein tolles Angebot: Erleben Sie den uralten Pilger- und Wallfahrtswe von Regensburg an den Wolfgangsee.

Tauchen Sie ein in eine jahrhundertealte Geschichte und spüren Sie d Kraftplätze, die bereits hunderttausende Pilger seit dem Mittelalter vo Ihnen erlebt haben.

Informieren Sie sich über die diversen Pilgerprogramme – sei es fü Fußpilger oder Radpilger! Spezialtouren für Gruppen und Individua pilger auf Anfrage oder nachzulesen unter **www.wolfgangweg.at**

Informationen: Wolfgangsee Tourismus Gesellschaft,
Tel.: +43 (0) 6138 / 8003 · www.wolfgangsee.at

Wolfgang Pilgerweg – das Ziel ist dein Ziel!

grafikeria.at

uf dem St. Rupert lgerweg

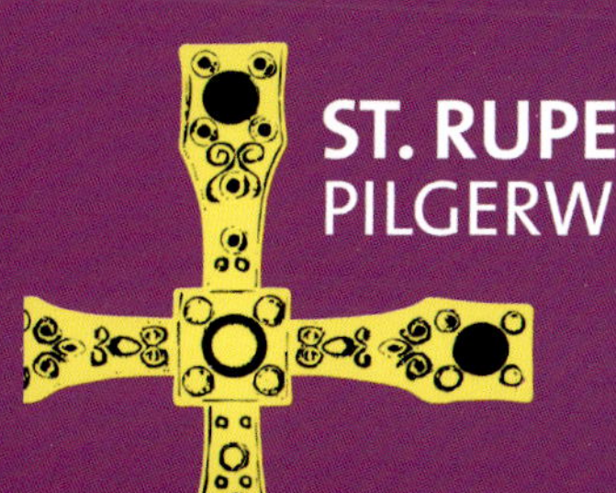

r St. Wolfgang Strobl-talm zum Rupertkreuz und zur ximilianzelle nach Bischofshofen.

besonderer Pilgerweg, initiiert von Hermann Hinterhölzl und Dr. Petra Kurten, Altötting, Salzburg, Seekirchen, Europakloster Gut Aich/St. Gilgen mit dem Bischofshofen verbindet.

gbeschreibung und Angebote geführter Pilgerwanderungen unter
w.rupert-pilgerweg.com
w.pilgerwege.at

Bild (aWi): Buchberg bei Bischofshofen mit Blick auf das Tennengebirge

Mondsee

5000 Jahre Geschichte und Kultur

)ie **Kultur der UNESCO – Welterbe Pfahlbausiedlung** m Mondsee ist im Mondseer Pfahlbaumuseum erlebbar.

)as ehemalige **Benediktinerkloster (748-1791)** mit ler **Basilika St. Michael**, von dem die historische Wolfgangwallfahrt betreut wurde, ist auch heute noch ein)rt der Spiritualität und Kunst (Bildhauer Hans Waldburger und Meinrad Guggenbichler).

/londsee ist der ideale Platz, um für die letzte und ielleicht schönste Etappe des Wolfgangpilgerweges rische Kraft zu tanken.

Vir freuen uns auf ihren Besuch!

Veitere Informationen unter
www.gemeinde-mondsee.at

Regensburg
Wörth
Donau
Kelheim
Altmühl
Thalmassing
Pfakofen
Große Laber
Kleine Laber
Ingolstadt
Mallersdorf-
-Pfaffenberg
Greilsberg
Mainburg
Dingolf
Essenbach
Landshut
Pfaffenhofen
D E U T S C
Geisenhausen
Vilsbi
Freising
Taufkirchen
Erding
Mühldo
Isar
Inn
München
Wasserburg
Grafing
Chiemsee
Rosenheim
Bern
Bad Tölz
Schliersee
Inn